COLEÇÃO

Myer Pearlman

Salmos

CPAD

Capa: Hudson Silva
Tradução: Gordon Chown

223.2 - Salmos
Pearlman, Myer
PEAs Salmos, Orando com os Filhos de Israel.../Myer Pearlman
1 ed. - Rio de Janeiro: Casa Publicadora das Assembléias de Deus, 1996.
p. 200. cm. 14x21

ISBN 85-263- 0035- 0

1. Comentário 2. Salmos

CDD
223.2 - Salmos

Casa Publicadora das Assembléias de Deus
Caixa Postal 331
20001-970, Rio de Janeiro, RJ, Brasil

2ª EDIÇÃO 1997

Índice

1

Como Prosperar

Texto: Salmos 1 e 119

Introdução

O livro dos Salmos é uma coletânea de poesia hebraica inspirada pelo Espírito Santo; descreve a adoração e as experiências espirituais do povo de Deus no Antigo Testamento. É a parte mais íntima e pessoal deste testamento, pois nos mostra como era o coração dos fiéis naquele tempo, e a sua comunhão com Deus.

Nos livros históricos da Bíblia, Deus fala *acerca* do homem; nos livros proféticos, Deus fala *ao* homem, e nos Salmos, *o homem fala* a Deus.

A alma do crente pode ser comparada a um órgão cujo executor é Deus. Nos Salmos, percebe-se como Deus toca todas as emoções da alma piedosa, produzindo cânticos de louvor, confissão, adoração, ações de graças, esperança e instrução. Até hoje, não foi achada linguagem melhor para que nós nos expressemos diante de Deus. As palavras dos Salmos são a linguagem da alma.

I - O Homem Justo e o seu Andar (Sl 1)

Este salmo pode servir de introdução à totalidade do livro dos Salmos. Alguns pais da Igreja qualificaram-no como o "o prefácio ao Espírito Santo". O tema é fundamental: Deus destinou a salvação aos justos; a perdição, aos ímpios. Este salmo nos mostra que conhecer a Deus é o verdadeiro conhecimento, a verdadeira força espiritual e a verdadeira felicidade humana. Apresenta o retrato que Deus dá do homem justo e piedoso.

1. Fiel a Deus naquilo que evita. "Bem-aventurado o homem", ou: "bênçãos para o homem..." ou: "quão grande a felicidade do homem!" (Mt 5.1-11). A felicidade descrita aqui é o resultado da retidão e da confiança em Deus. A palavra está no plural e em hebraico, porque nenhuma bênção vem sozinha. Quando recebemos bênção de Deus, recebemos muitas. O homem que recebe estas bênçãos é, antes de tudo, descrito negativamente, segundo aquilo que não faz.

• "Não anda segundo o conselho dos ímpios". Suas ações não são inspiradas em princípios mundanos, maldosos e astutos.

• "Não se detém no caminho dos pecadores". Não adota suas linhas de comportamento. "Caminho" em hebraico quer dizer o modo de vida e de conduta.

• "Nem se assenta na roda dos escarnecedores". O escarnecedor é o descrente bem ateu, que zomba dos fiéis. O homem crente não freqüenta lugares onde há pessoas que zombam de Deus e de coisas eternas. O assento do escarnecedor pode ser muito elevado socialmente, todavia fica muito perto da porta do inferno, e logo ficará vazio.

Nota-se como o pecado leva os que o praticam de um ponto de degradação para outro: "anda... se detém... se assenta". No início, a pessoa começa a escutar o conselho dos ímpios, depois pratica a vida ímpia, e, finalmente, faz parte da roda, cujo objetivo é ensinar e tentar outros a praticarem o pecado.

2. *O homem fiel a Deus naquilo que faz.* O homem justo, crente, piedoso e temente a Deus agora é descrito positivamente. A justiça negativa não basta; os que fogem do pecado devem também correr atrás da virtude e da perfeição espiritual.

• Deleita-se na lei. "Antes o seu prazer está na lei do Senhor". Não está *debaixo* da Lei, como maldição e condenação, mas está *dentro* da Lei, e a Lei está nele, e, assim, gosta de fazer aquilo que Deus deseja que ele faça. Não devemos nos esquecer do fato de ter havido pessoas, na época do Antigo Testamento, que atingiram uma vida de graça.

• Meditação da lei. "E na sua lei medita de dia e de noite". Assim como as ovelhas vão pastando relva, assim também o homem de Deus pastoreia a sua alma, alimentando-a com a Palavra de Deus. Não a lê apenas como dever, porém vai entendendo espiritualmente aquilo que lê e pensa profundamente sobre sua aplicação à sua própria vida. Muitas pessoas já leram a Bíblia inteira, mas quantas realmente meditam em sua mensagem? Outras já passaram pela Bíblia inteira, mas será que já a deixaram passar por suas almas?

• Permanência na lei. Essa permanência é ilustrada na figura de uma árvore. A árvore tem *vitalidade*, segurança quando está "plantada"; *capacidade* tirada da "corrente de águas"; vida porque sua "folhagem não murcha"; e *prosperidade,* "e tudo quanto ele faz será bem sucedido".

3. *Fiel a Deus naquilo que escapa.* "Os ímpios não são assim". Os descrentes, ou ímpios, são comparados à palha em contraste com os crentes, ou justos, que são comparados a árvores. "São, porém, como a palha que o vento dispersa". A árvore enfrenta a tempestade, enquanto a palha é dissipada por ela. Os maus são como a palha - sem valor, inútil, morta, e facilmente levada embora. A morte os apressará para o fogo eterno.

"Por isso os perversos não prevalecerão no juízo, nem os pecadores na congregação dos justos". No Dia do Juízo, serão condenados; não poderão ficar firmes diante do olhar perscrutador de Deus (Ap 6.15-17). Uma "civilização cristã" representa uma mistura de justos e pecadores. O trigo e o joio crescem juntos; as escórias se misturam com o outro. No céu, porém, não haverá pecadores. Seria mais fácil para um peixe viver em cima das árvores do que um pecador habitar no Paraíso.

"Pois o Senhor conhece o caminho dos justos, mas o caminho dos ímpios perecerá". Deus reconhece e honra os seus próprios seguidores, e abençoa a sua maneira de viver, todavia a vida dos ímpios vai caminhando para a destruição (Mt 7.13,14).

Abraão é um exemplo de quem cumpriu o padrão definido no Salmo primeiro. Era um homem abençoado (Gn 12.1-3) que amava a lei de Deus (Gn 18.19), e cuja recompensa incluía prosperidade espiritual e material (Gn 13.2).

II - O Homem Fiel a Deus e à sua Palavra (Sl 119)

O Salmo 119 é o mais longo desse livro. É um hino de louvor a Deus como nosso Mestre, e de gratidão pela sua Palavra. Cada versículo de salmo tem alguma referência à Palavra de Deus, com exceção do v. 122. A palavra "lei" aqui não significa "legislação", mas, sim, instrução vinda da parte de Deus, no sentido mais alto. Os seguintes versículos selecionados descrevem os resultados do sincero estudo da Bíblia.

1. Felicidade e bênção. "Bem-aventurados os que guardam as suas prescrições" (v. 2). "Prescrições" ou "testemunhos" (v. 14) são indícios que Deus dá a verdades importantes acerca dEle mesmo e do nosso relacionamento com Ele. Crer nos seus testemunhos e amá-los é andar pelo caminho da felicidade. Se guardarmos os testemunhos de Deus, eles nos guardarão; seremos guardados na opinião correta, em consolação de espírito, em conversação santa, e cheios de gloriosa esperança. Devemos conservá-los como preciosidade.

"E o buscam de todo o coração", ou seja: sinceramente e não com coração dividido. Aqueles que guardam os testemunhos do Senhor, certamente, desejarão procurar o próprio Senhor. Se a sua Palavra é muito preciosa para nós, certamente Ele próprio deve ser ainda muito mais precioso.

2. *Santificação.* "De que maneira poderá o jovem guardar puro o seu caminho? Observando-o segundo a tua palavra" (v. 9). Os que conhecem a natureza da juventude e as tentações às quais estão sujeitados os jovens, reconhecerão a vital importância da pergunta aqui levantada. Não existe nenhum atalho para a vitória, e o jovem não pode vencer pela sua própria sabedoria. Na Palavra de Deus achará sua orientação e o Espírito Santo será o seu ajudador. Devemos vigiar nossos próprios passos além de estudar a Palavra. "Um homem, seguindo à risca um mapa, pode perder o caminho se o mapa estiver errado; mas, mesmo com um mapa perfeito, também perderá o caminho se não o seguir fielmente".

"Guardo no coração as tuas palavras, para não pecar contra ti" (v. 11). A Palavra é referida aqui como meio da santificação (cf. Jo 15.3; Tg 1.21-25). O mais precioso (a Palavra) é guardado no melhor lugar (o coração), para o melhor propósito (proteger do pecado).

O coração, no íntimo da personalidade, é onde se produz os impulsos que influenciam a conduta e as palavras. Nossos atos surgem daquilo que somos no íntimo (Mt 15.19). (Isto sem negar que a pessoa pode, por um tempo, hipocritamente fazer alguns bons atos para esconder propósitos perversos). A Palavra, enterrada no fundo do coração através de meditação e oração, servirá como remédio corretivo para a vida.

3. Luz. "Lâmpada para os meus pés é a tua palavra, e luz para os meus caminhos" (v. 105). Para sentir a força destas palavras, devemos pensar numa época em que não existia nenhuma iluminação pública, e quem quisesse andar fora da casa à noite teria de andar em escuridão total. Em tais casos, uma lanterna ou lâmpada era considerada de grande valor, embora não iluminasse completamente o caminho por uma distância muito grande. Espiritualmente, o mundo está nas trevas; a Palavra é uma luz que ilumina nossos caminhos passo a passo, "até que o dia clareie e a estrela da alva nasça em vossos corações" (2 Pe 1.19).

"Alegro-me nas tuas promessas, como quem acha grandes despojos" (v. 162). Depois de uma longa e dura batalha, o vencedor divide os preciosos despojos. Após a batalha em prol da verdade e da santidade pessoal, ganhamos a vitória, e, então, os versículos bíblicos, que nos ajudaram a passar pela crise, começam a brilhar com um novo sentido, tornando-se ainda mais preciosos para nós. Talvez haja referência aqui à descoberta dalgum tesouro enterrado, num período histórico em que a terra era usada como Caixa Econômica. É uma alegria muito grande descobrirmos, mediante a nossa própria busca, alguma preciosa verdade escondida na Palavra de Deus!

4. Paz. "Grande paz têm os que amam a tua lei; para eles não há tropeço" (v. 165); cf. Pv. 3.1,2; Is 32.17; Tg 3.18. Onde há pecado, sempre há perturbação. A verdadeira paz chega àqueles cujos pecados foram cancelados e que receberam graça para obedecerem à Palavra de Deus. "Para eles não há tropeço". Nada os faz cair, pois enquanto vivem de acordo com a Palavra de Deus, não tropeçarão nos obstáculos que o mundo coloca no caminho da espiritualidade; assim não cairão no pecado.

III - Ensinamentos Práticos

1. A vida separada. Este mundo contém uma mistura do certo e do errado, do bem e do mal; por isso, o crente precisa tomar cuidado em distinguir as situações. No salmo 1, o crente é advertido contra:

• *As opiniões de pessoas pecaminosas* (o "conselho dos ímpios"). A literatura moderna contém muita matéria que visa sutilmente a minar os alicerces da fé. Autores modernos apresentam seus ensinos ímpios com um estilo brilhante, e muitos dos incautos acham que a beleza do estilo basta como prova da veracidade dos escritos. Ninguém deliberadamente coloca comida podre na boca, e nunca devemos deliberadamente permitir que literatura impura tenha acesso à nossa mente.

• *As atividades dos pecadores.* "Não se detém no caminho dos pecadores". O fato de certos pecados serem praticados pela grande maioria tende a embotar nosso discernimento espiritual. "Todos fazem assim" é o grande argumento mediante o qual a conformidade ao mundanismo é exigida. Ver, porém, Êxodo 23.2.

• *O convívio e a associação com os pecadores.* "Nem se assenta na roda dos escarnecedores". Não precisamos viver em total separação de outras pessoas, como eremitas, pois vivemos neste mundo e devemos ajustar-nos às várias atividades da vida. Permanece, porém, a admoestação: "Não vos ponhais em jugo desigual com os incrédulos" (2 Co 6.14).

A meditação na Palavra de Deus nos dará a capacidade de distinguirmos entre o bem e o mal, e inspirará em nós os piedosos impulsos para escolhermos o bem (ver Hb 5.14).

2. As árvores de Deus. "Ele é como árvore". A árvore é permanente, bela, frutífera, seus galhos oferecem sombra para quem quiser descansar sob ela; cresce com o sol e a chuva, esperando assim em Deus e colocando a sua vida nas mãos dEle.

"Plantada junto a corrente de águas". O método oriental de cultivo faz pequenos córregos fluir entre as fileiras de árvores e, assim, por meios artificiais, as árvores recebem o constante suprimento de umidade. Esta expressão, com a situação que sugere, ilustra de modo belo a vida do homem cheio do Espírito. "Quem crer em mim, como diz a Escritura, do seu interior fluirão rios de água viva" (Jo 7.38; cf. Jo 4.14). O Filho de Deus nos plantou perto dos rios do Espírito e, assim, ficaremos plantados por toda a eternidade, mesmo depois desta vida terrestre: "O Cordeiro que se encontra no meio do trono os apascentará e os guiará para as fontes da água da vida" (Ap 7.17). Haverá, no Céu, suprimentos do Espírito Santo e glórias espirituais muito além daquilo que os fiéis receberam na terra.

O homem guiado e inspirado pelo Espírito Santo tem uma vida espiritual secreta muito mais profunda e gloriosa do que aquilo que o intelecto humano pode compreender (1 Co 2.14,15) e além do alcance dos ímpios, que nada poderão fazer para danificar esta vida (Cl 3.3). As mais profundas raízes da sua personalidade recebem alimentação da parte do Espírito eterno.

"No devido tempo, dá o seu fruto" (Gl 5.22,23). O homem espiritual manifesta virtudes específicas para cada situação. Em tempos de aflição, demonstra paciência; em tempos de prosperidade, manifesta gratidão; em tempos de oportunidade espiritual, revela zelo; em tempos de tentação, exerce controle próprio; em tempos de passar necessidades, manifesta contentamento e fé; e assim por diante. Para ele, as várias experiências da vida têm o único efeito de fazer aparecer na superfície a riqueza de caráter espiritual que ele possui lá no fundo. Foi assim o apóstolo Paulo, que escreveu: "Aprendi a viver contente em toda e qualquer situação" (Fp 4.11).

"E cuja folhagem não murcha". Por que o fruto foi mencionado antes das folhas? Talvez para ilustrar que, na vida espiritual, a prática do que cremos importa mais do que aquilo que proclamamos como nossa crença. "Relatando todas as coisas que Jesus fez e ensinou" (At 1.1). "Jesus, o Nazareno, que era varão profeta, poderoso em obras e palavras" (Lc 24.19; cf. Lc 13.6-9; Jo 15.2).

O homem, que anda no Espírito, sempre terá folhas verdes. No meio da tribulação e da adversidade, sempre terá um testemunho novo e vigoroso, porque as raízes da sua personalidade se molham perpetuamente nas Águas Vivas.

3. A paz através da obediência. "Grande paz têm os que amam a tua lei". Notemos quais são as bênçãos decorrentes do amor à lei de Deus.

• *Um coração descansado.* O apego a coisas indignas perturba o coração; o amor a coisas nobres traz paz ao coração. O coração participa da natureza das coisas com as quais se alimenta.

• *Uma vontade submissa.* Há uma diferença entre um barco a velas navegar contra o vento e correr com o vento. No primeiro caso, há agitação e, no segundo caso, há progresso firme e rápido, sem perturbação. Não são as provações que nos perturbam tanto; são as nossas reações a elas. A pessoa que curva a sua vontade diante da vontade de Deus, e humildemente aceita aquilo que vem da parte dEle, nunca é perturbada.

• *Uma vida obediente.* Se amarmos a Deus, obedeceremos à sua Palavra, e o fruto desta obediência será a paz. Quando sabemos que o que fizemos foi segundo a vontade de Deus, podemos alegremente deixar os resultados nas mãos dEle. Assim, ficamos livres de todas as preocupações e ansiedades com respeito aos resultados das nossas ações.

• *Libertação da tentação.* "Para eles não há tropeço". É muito bom resistirmos e vencermos as tentações através de duras lutas. É muito melhor ainda chegarmos a uma situação em nossa vida espiritual em que a tentação já não nos atrai. Quando o amor a Deus enche o nosso coração, não haverá mais lugar nele para traidores que poderiam entregar a fortaleza ao inimigo de fora.

4. A vigilância é necessária para a santidade. Muitos jovens perguntam: "Como posso fazer meu caminho neste mundo, qual será minha carreira?" Uma pergunta mais importante é: Como posso fazer caminho limpo neste mundo? A resposta se acha em Salmo 119.9. "Observando-o segundo a tua palavra".

O antigo ditado diz: "A eterna vigilância é o preço da liberdade". E a vigilância é o preço da santidade. Vivemos atualmente num mundo no qual há muitas forças e influências que querem arrastar o homem para o pecado; no entanto há poucas que inspiram à santidade. E uma derrota terrível aguarda o moço ou a moça que não aprendeu quando deve dizer: "Não!" A fronteira da nossa consciência deve ser fortemente guardada contra todas as tentações e seduções que querem forçar entrada. O soldado que guarda a fronteira precisa das suas instruções e, para o crente, essas instruções se acham na Palavra de Deus. Essa orientação é clara nas suas instruções; autoritativa nas suas declarações e universal na sua aplicação. Não somente a Palavra escrita, como também a Palavra viva, Jesus Cristo, deve ser nosso guia. Ele é o exemplo perfeito da vida que agrada a Deus.

2

Confiando em Deus nos Momentos Difíceis

Texto: Salmos 3 e 4

Introdução

O estudo cuidadoso dos Salmos 3 e 4 revela que seus pensamentos são estreitamente relacionados entre si, e que os dois foram escritos sob circunstâncias idênticas. O título do Salmo 3 nos informa quais eram estas circunstâncias: Davi o escreveu enquanto fugia do levante comandado pelo seu filho, Absalão, descrito em 2 Samuel 15-18. No Salmo 3, descreve-se o crescente número dos adversários (vv. 2,6), que não conseguiram, mesmo assim, perturbar a calma confiança em Deus que Davi tinha. No Salmo 4.2, Davi se dirige aos rebeldes, convocando-os a deixar sua rebelião. Sugere-se que os dois salmos foram escritos no mesmo dia, um deles de manhã (vv 3,5) e o outro no fim do dia (vv. 4,8).

I - Um Cântico de Manhã em Tempos Perigosos (Sl 3)

O pensamento central desse salmo é que os números e as forças físicas não determinam o decurso da história do mundo; é só da parte de Deus que vêm a libertação e a vitória.

1. O perigo. "Senhor, como tem crescido o número dos meus adversários! São numerosos os que se levantam contra mim" (v.1; cf. 2 Sm 18.31,32). Davi, profundamente entristecido, vê o grande número daqueles que foram persuadidos a voltar-se contra ele. Os sofrimentos e aflições sempre chegam em grandes grupos; é assim que o inimigo quer derrubar o crente com repentina violência.

Os inimigos de Davi declararam, triunfantemente, que os seus infortúnios eram o resultado da inimizade de Deus contra ele: "São muitos os que dizem de mim: Não há em Deus salvação para ele" (v.2; cf. 2 Sm 16.8). Talvez, até alguns dos amigos de Davi chegaram a perder a esperança, achando que realmente Deus deixara de ampará-lo.

"Selá", segundo se pensa, é um sinal musical indicando pausa ou silêncio, seguida por notas mais altas. Convida o leitor a uma pausa para meditação!

2. Confiança. "Porém tu, Senhor, és o meu escudo" (v.3). A palavra aqui empregada para "escudo" se refere a um tipo de proteção que cerca quase totalmente o soldado. Parecia que Davi estava exposto aos dardos de falsos amigos, porém Deus era a sua proteção total; parecia que estava lançado em total abatimento, porém Deus era a sua glória; os homens queriam afundá-lo, porém Deus haveria de erguê-lo outra vez.

3. Oração. "Com a minha voz clamo ao Senhor, e ele do seu santo monte me responde" (v.4). O "santo monte" era o monte Sião, onde permanecia a Arca da Aliança. Ver 2 Samuel 15.25, contrastado com 1 Samuel 4.3-6. A confiança de Davi não estava na Arca propriamente dita, mas em Deus cuja presença era por ela simbolizada. O tempo do verbo no original nos dá a idéia de oração contínua, habitual, incessante. Nota-se que Davi orou com a sua voz. Deus escuta a oração silenciosa; todavia, muitas pessoas já aprenderam, através da experiência, que oram melhor em alta voz, mesmo quando estão a sós.

4. Paz. "Deito-me e pego no sono; acordo, porque o Senhor me sustenta" (v.5). O pronome é enfático em hebraico, como se Davi quisesse dizer: "Eu mesmo, apesar de estar sendo caçado e amaldiçoado pelos meus inimigos, pessoalmente senti comigo a bondade do Senhor nesta própria noite passada". Em terreno descoberto, sob a luz das estrelas, Davi dormiu com santa paz e despertou com santa coragem, porque a mão de Deus era como travesseiro para ele.

5. Coragem. "Não tenho medo de milhares do povo que tomam posição contra mim de todos os lados" (v.6). Deus libertou Davi do medo. Os números nem sempre comprovam que a causa é justa; Absalão conseguiu uma grande turba para segui-lo, mas Davi estava com Deus, e uma só pessoa, com Deus, forma a maioria.

"Feres nos queixos a todos os meus inimigos, e aos ímpios quebra os dentes" (v.7). Essa confiança em Deus baseia-se em vitórias que Deus lhe concedeu em ocasiões anteriores. Sua confiança, com tais antecedentes, se aplica à situação imediata.

Nessas metáforas, os ímpios são representados sob a figura de animais selvagens, cujas armas são seus queixos e seus dentes. Quando Davi era pastor de ovelhas, feria os ursos e os leões quando vinham contra as ovelhas (1 Sm 17.34,35) e, da mesma maneira, ele tinha confiança em que Deus trataria assim os que vinham contra ele com boca aberta e uivando ameaças.

6. Testemunho. "Do Senhor é a salvação" (v.8). Davi quis dizer que a libertação e a vitória pertencem exclusivamente à vontade de Deus (cf. Zc 4.6). Essa é a resposta de Davi às expressões de zombaria dos seus inimigos (v.2).

7. Intercessão. O salmo termina com a oração que Davi proferiu a favor dos seus súditos, tão tristemente desviados da lealdade. "E sobre o teu povo a tua bênção". Esse povo, mesmo caído em rebeldia, ainda pertence ao Senhor. Assim Davi faz eco à oração de Moisés (Êx 32.31), e prenuncia a oração de Cristo (Lc 23.34).

II - Uma Oração Cantada de Tarde, em Tempos Perigosos (Sl 4)

Esse salmo ressalta a paz de coração sentida por aqueles que confiam totalmente em Deus.

1. Uma oração por socorro. Davi baseia sua oração na justiça lhe prometida por Deus ("Deus da minha justiça") e na misericórdia que Deus já lhe concedera muitas vezes no passado ("na angústia me tens aliviado"). Angústia é uma sensação que estreita a garganta, o estômago, as veias e até reduz, quase paralisando a nossa capacidade de pensar. O alívio vindo da parte de Deus nos deixa respirar livremente, com largueza de mente e libertação da tensão. No sentido militar, Davi já passara pela experiência de ficar cercado num lugar bem estreito, para então receber reforços que o deixaram livre para movimentar-se. Assim, Deus tira seus fiéis das situações apertadas da vida, dando-os alívio.

2. Advertência contra a oposição. Davi, depois de falar com Deus, apela aos homens. Deixamos o lugar silencioso da oração para entrar no campo da batalha. Davi reconhece a força de seus opositores, mas também sabe que foram levados a um grande erro. Pergunta-lhes por quanto tempo querem zombar da glória e da honra pertencente ao rei, e deleitar-se em falsidades contra ele.

"Sabei, porém..." (v. 3). Não querem aprender, e assim precisam ser informados mais vezes. Davi os deixa saber que, por mais que queiram envergonhar a sua glória, estão se opondo àquele que Deus amou, escolheu para Si e ungiu como rei sobre o seu povo. Davi reconhece que, a cada passo, desde o aprisco das ovelhas até ao trono de Israel, a vocação e a graça da parte de Deus lhe eram concedidas.

3. Um sábio conselho (v. 4). Davi, agora, prossegue para oferecer aos homens sábios e amorosos conselhos. Não quer que as suas fúrias os levem a pecar contra Deus. A rebelião contra a vontade de Deus tem seu fracasso garantido desde o início (v. 3), no entanto ainda há um prazo para a meditação e o arrependimento. A cosnciência, muitas vezes desrespeitada durante as emoções e correrias do dia, comumente começa suas melhores atividades, quando vamos dormir, ao fim do dia; daí a admoestação: "Consultai no travesseiro o vosso coração, e sossegai". Davi quer que os inimigos meditem nas verdades declaradas por ele. As horas silenciosas da noite trariam consigo pensamentos mais calmos e mais nobres.

4. Uma exortação direta. "Oferecei sacrifícios de justiça (ou sacrifícios oferecidos com coração puro e sincero), e confiai no Senhor". Absalão e os seus partidários poderiam oferecer sacrifícios no templo, mas não teriam valor algum, não sendo oferecidos com propósitos dignos e por pessoas vivendo lealmente diante de Deus. Davi ensina que os sacrifícios devem ser oferecidos com o espírito certo, para então confiar-se diretamente em Deus e não meramente na oferenda e nas cerimônias.

5. Uma expressão de confiança. "Há muitos que dizem: Quem nos dará a conhecer o bem?" (v. 6). Davi talvez está se referindo a alguns dos seus seguidores que ficaram desanimados nos dias difíceis. As aparências eram contrárias às suas vitórias, e estavam passando dificuldades na fuga.

"Senhor, levanta sobre nós a luz do teu rosto". A face de Deus, mediante a fé, pode ser percebida por um precioso instante de santa comunhão e basta para afugentar as sombras do pessimismo. Embora os inimigos detenham copiosos suprimentos, Davi não gostaria de estar no lugar deles (v. 7). O gozo espiritual que transborda do coração de Davi vale muito mais do que quaisquer confortos e prazeres materiais.

Davi, com toda a sua confiança em Deus, pode dizer: "Em paz me deito e logo pego no sono, porque, Senhor, só tu me fazes repousar seguro" (v. 8). Apesar dos perigos que o cercam, Davi adormece em paz, pois nenhuma preocupação ou ansiedade o deixa virando de um lado para outro sem conseguir dormir. A segurança física, bem como a paz de espírito, são dons que Davi recebe da parte de Deus.

III - Ensinamentos Práticos

1. O sono dos justos (Sl 4.8). Existe o sono da presunção, como o de Jonas que dormia quando devia estar orando (Jn 1.5,6). Deus nos preserve deste tipo de sono! Existe, porém, o sono da santa confiança e consciência tranqüila, ilustrado na experiência de Jesus (Mt 8.24), de Pedro (At 12.6) e de Davi.

A proteção da parte de Deus é a melhor segurança. Soldados armados guardavam o leito de Salomão, todavia não creiamos que dormia melhor do que seu pai, Davi, quando deitava no chão não muito longe de perigosos inimigos. Davi estava "a sós" com Deus, e "somente" Deus era proteção mais que suficiente. Uma boa consciência nos ajuda a dormir em quaisquer circunstâncias; muitas insônias se devem a mentes perturbadas, que não confiam em Deus. Nenhum travesseiro é tão confortável como as promessas de Deus; nenhum cobertor é mais quente do que a certeza da nossa salvação por Jesus Cristo.

2. A fé que não teme os inimigos. "Não tenho medo de milhares do povo que tomam posição contra mim de todos os lados". Davi não menospreza o número ou a capacidade dos seus inimigos. É um realista que enfrenta os fatos; porém, como piedoso santo de Deus, também reconhece o maior fato de todos - a ajuda da parte de Deus.

Muitas vezes os crentes chegam a circunstâncias assim: não percebem nenhuma via de escape, e tudo parece sombrio. Sentem-se com vontade de dizerem: "Tudo está contra mim". Precisamos de muita fé e confiança para dizermos, em tais circunstâncias: "Não tenho medo". Qualquer um pode se imaginar herói em tempos de paz, mas é o campo da batalha o divulgador do verdadeiro guerreiro.

3. Humilde diante de Deus, corajoso diante dos homens. No Salmo 4.1, Davi fala a Deus antes de falar aos homens. Essa é a ordem certa. Teríamos mais coragem espiritual em nossas conversas com nosso próximo se tivéssemos mais tempo de conversa com Deus. Quem tem santa confiança em sua comunhão com Deus não tremerá diante dos homens.

4. As asas da oração. Quando vemos a iniqüidade se multiplicando ao nosso redor, sentimos uma profunda depressão; a oposição e a perseguição podem nos desencorajar. Davi foi tentado a se entregar a tais sentimentos, porém a oração o capacitou a levantar vôo acima da violência e da descrença dos homens, aproximando-se do céu. Nada voa tão bem como a oração, pois ela ergue a alma humana com grande velocidade para uma posição muito acima dos perigos e até dos prazeres existentes neste mundo. Assim como o avião voa acima das nuvens de tempestade, assim nós, nas asas da oração, podemos voar acima das decepções. Ajoelhemo-nos em nossa fraqueza, e depois nos levantemos revestidos de poder. Fazemos a maior violência contra nós mesmos quando nos privamos desse meio de graça.

5. Deus cuida dos seus filhos. Os que têm fé em Cristo são os que foram escolhidos para a salvação, eleitos para herdar o Reino de Deus. Já que Ele nos escolheu para nos salvar, certamente não deixará de nos escutar a oração. Com tais pensamentos, Davi se encorajou diante da oposição de homens ímpios.

Essa verdade continua em pé. Aqueles que procuram derrotar o povo de Deus estão lutando contra Deus e o destino. "Porventura Deus não vingará os seus próprios eleitos, que a Ele clamam de dia e de noite?" (Ver At 5.38,39; 9.4; 23.9). "Se Deus é por nós, quem será contra nós?"

6. Fé produz otimistas. Quando surgem as dificuldades, somos tentados a murmurar: "Quem nos dará a conhecer o bem?" Esse tipo de pessimismo (2 Rs 7.1,2; Jo 20.24-29) nos priva das bênçãos que Deus quer derramar sobre nós. O crente não deve ser influenciado por aquilo que vê ao seu redor, mas por aquilo que crê. Um pouco de fé nos transforma em otimistas.

7. A alegria no Senhor (v. 7). Deus, para evitar que as riquezas sejam consideradas más em si mesmas, dá um pouco delas aos justos. E, para evitar que sejam consideradas o bem supremo, muitas vezes concede-as aos ímpios. As verdadeiras riquezas espirituais e eternas, porém, são a propriedade exclusiva dos fiéis. O próprio Deus é o maior tesouro do universo. É melhor ter a comunhão com Ele, e não possuir outras coisas, do que possuir tudo, sem Ele. Devemos sentir muita pena daqueles cuja paz e felicidade dependem da sua prosperidade material, e cujo único desejo é a fartura de bens.

3

A Descrição Divina do Insensato

Texto: Salmo 14

Introdução

Os Salmos 11 até 14 mostram Davi em sua situação solitária. No Salmo 11 está a sós, cercado pelos perversos violentos; no Salmo 12, são os hipócritas que estão contra ele; no Salmo 13, sente-se abandonado; e no Salmo 14, enfrenta sozinho os insensatos. Este salmo descreve como Deus encara o homem natural. Davi vê como o pecado se levanta loucamente contra Deus, o qual olha para os pecadores como, muitos séculos antes, contemplou os construtores de Babel. Vê diante dEle a apostasia total; dos altos céus, fala a sua Palavra, e os malfeitores caem em confusão.

I - A Meditação dos Ímpios (Sl 14.1)

"Diz o insensato no seu coração: Não há Deus". A palavra "insensato" não significa, aqui, aquele cuja inteligência é limitada - trata-se do perverso que rejeitou a Deus e que quer viver longe dEle. Tais pessoas, professando-se sábias, revelaram a sua tolice. Alegando andarem pela luz da razão, demonstram que sua razão nada vale. Estes são os ateus na prática, pois vivem e agem como se Deus não existisse; são muito mais numerosos do que os ateus teóricos, que sustentam a crença intelectual da não existência de Deus. A expressão "não há Deus" não indica necessariamente a crença de que Ele não existe - mostra apenas que os ímpios negam a interferência de Deus nos assuntos da vida diária, e que preferem viver contando com sua ausência. Negligenciam a busca da virtude e tornam-se corruptos e abomináveis.

II - A Investigação Divina (Sl 14.2,3)

Davi mostra o contraste solene entre o barulho e atividade de um mundo ímpio e o olhar silencioso de Deus que a tudo contempla. "Do céu olha o Senhor para os filhos dos homens, para ver se há quem entenda, se há quem busque a Deus". A onisciência de Deus é declarada em linguagem que nos faz relembrar as narrativas bíblicas do Dilúvio (Gn 6.5), de Babel (Gn 11.5,6) e de Sodoma (Gn 18.20,21). No meio dessa situação de rebeldia contra Deus, Ele está procurando os fiéis, "porque são estes que o Pai procura para seus adoradores" (Jo 4.23).

O versículo 3 nos mostra a decepção de Deus, porque houve aguda discrepância entre aquilo que procurava e aquilo que achou: "Todos se extraviaram" do caminho do Senhor; "juntamente se corromperam", como cadáver pobre poluindo o ambiente; "não há quem faça o bem, não há nem um sequer". Estas últimas palavras foram citadas por Paulo para mostrar que toda a raça humana, e cada ser humano individualmente, merece a condenação divina (Rm 3.9,10).

III - A Condenação Divina (Sl 14.4,5)

À vista da maldade em tão grande escala, a voz divina vai ecoando aos "insensatos" no meio da sua estultícia e iniqüidade. A tríplice condenação dos seus pecados foi pronunciada. Primeiro, não entenderam a raiz das suas iniqüidades (cf. Is 1.3); segundo, cometeram o pecado positivo no tratamento violento do povo de Deus - longe de tomarem consciência da sua culpa, devoram os justos com a mesma naturalidade com a qual comem as suas refeições (cf. Mq 3.1-3); terceiro, demonstraram falta de religião - "não invocam o Senhor". O ateísmo prático fica sem oração.

O pronunciamento divino lança terror no meio das hostes da iniqüidade; "Tornar-se-ão de grande pavor" (v. 5). Qualquer revelação de Deus na sua ira transforma todos os homens em covardes (cf. Atos 5.11; 19.7). Em contraste com os pecadores em pânico, há o "pequeno rebanho" da "linhagem do justo", que tem paz no meio das aflições e dos inimigos, porque anda com Deus.

IV - Expectativa Triunfante (Sl 14.6,7)

Davi, inspirado por triunfante confiança, fala aos opressores do seu povo: "Meteis a ridículo o conselho dos humildes, mas o Senhor é o seu refúgio" (v. 6). Quaisquer tentativas de destruir os planos do povo de Deus têm de fracassar, visto que o próprio Deus é a garantia de que o trabalho espiritual dos fiéis não é em vão (cf. também 1 Co 15.58).

O salmo termina com uma oração pedindo a ajuda de Deus para que tire os seus fiéis das suas aflições, restaurando a sua prosperidade (cf. Jó 42.10). Os crentes na nação estavam sofrendo opressão por causa dos ímpios, e esperavam a redenção da parte do Senhor (cf. Lc 2.38).

V - Ensinamentos Práticos

1. O crime do ateísmo. O ateísmo é um crime contra a sociedade, porque destrói a única base adequada da moralidade e da justiça - a crença num Deus pessoal que exige dos homens a fidelidade às suas leis. Se não existisse Deus, não existiria nenhuma lei divina e todas as leis seriam exclusivamente humanas. Por que alguém precisa se submeter a um código de leis inventado por um mero homem? A única sanção certa para a prática do bem é: "Assim diz o Senhor!" Deus é o Juiz dos vivos e dos mortos e Árbitro do nosso destino. Procurar remover essa verdade é atentar contra os alicerces da sociedade.

O ateísmo é um crime contra cada pessoa; é uma tentativa de arrancar do coração humano seu forte desejo das coisas espirituais, sua fome e sede pelo infinito. Os ateus protestam contra os crimes da religião, e não há dúvida de que potentados eclesiásticos têm muitas vezes agido como pagãos, procurando seus próprios interesses e abusando dos seus poderes. Não podemos, porém, cancelar o conceito de Deus simplesmente porque homens pervertidos têm ousado infiltrar-se nas igrejas para tirarem proveito delas.

2. O ateísmo prático. Os ateus, que negam a Deus pela teoria intelectual, são muito menos numerosos do que aqueles que, na prática, negam a Deus. O fazendeiro rico, em Lucas 12.16-21, exemplifica o ateu prático. Sem dúvida, era membro dalguma sinagoga e negaria o título de "ateu"; na prática, porém, agia como se Deus não existisse. Seus pensamentos são dominados pelo pronome "eu", mostrando que Deus não tem lugar algum nos seus planos. Tem a ilusão de que as coisas materiais podem satisfazer a sua alma. Planeja tudo como se esta vida fosse a única a ser levada em conta. Depois disto, sua alma lhe foi tirada, e Deus disse-lhe: "Louco!"

Até o crente pode, em certos momentos, cair num tipo de ateísmo na prática. Quando Martinho Lutero sofria períodos de melancolia por causa dos revezes na sua luta em prol do Evangelho, a sua esposa se vestia de luto, dando a entender que, pelo jeito do marido, Deus, por certo, teria morrido. Nossas ações e atitudes, nossas palavras e decisões diárias devem demonstrar a realidade da nossa fé em Cristo.

3. O pecado é tolice. Uma das causas do pecado é que o pecador não quer pensar direito; ou por descuidado, ou por ignorância deliberada, não quer orientar a sua vida de acordo com a vontade de Deus.

• Muitas exortações são dirigidas aos "simples" (Pv 1.4,22; 8.5). Esta palavra descreve o homem natural, sem desenvolvimento na direção do bem e do mal, sem princípios firmes, entretanto com uma inclinação natural ao pecado, a qual pode ser manipulada até levá-lo a cometer delitos. Não possui propósitos fixos, nem alicerces morais; escuta a exortação, mas logo se esquece e é facilmente desviado para o pecado (cf. Mt 7.26).

• A Bíblia menciona, também, os "faltos de senso" (Pv 7.7; 9.4), aqueles que se tornam vítimas do pecado por falta de entendimento, além da tendência natural ao pecado que todo ser humano possui. Faltando-lhes sabedoria, falam asneiras acerca da providência de Deus e de outros assuntos além do seus alcances. E assim se juntam aos ímpios. Não há desculpa para esses "faltos de senso" ou para os "simples", porque tinham bastante oportunidade, já nos tempos de Salomão, de receber a instrução que o Senhor lhes oferecia a fim de torná-los sábios para a salvação (Pv 8.1-10).

• Uma outra palavra traduzida por "insensato" (Pv 15.20), diferente do "insensato" do salmo 14, é a descrição de alguém que, embora tendo a capacidade para fazer o bem, se liga às inclinações carnais que é facilmente levado ao pecado por elas. Não quer disciplinar e orientar os seus apetites conforme a lei de Deus.

• O "escarnecedor" (Sl 1.1; Pv 14.6) é o pecador que justifica sua prática do pecado mediante argumentos contra a existência ou realidade de Deus, e contra realidades espirituais de modo geral. É o descrente inveterado que zomba dos que crêem em Deus.

Se o malfeitor pudesse realmente *ver* as conseqüências dos seus atos, talvez seus crimes seriam menos numerosos. Não se pode dizer que todo o pecado é ignorância, porém é certo que a ignorância é um dos ingredientes para piorar os delitos. As pessoas fecham os olhos às conseqüências quando caem em repentina tentação.

4. O mundo não é amigo da graça. "Como, todavia, não sois do mundo, pelo contrário dele vos escolhi, por isso o mundo vos odeia" (Jo 15.19; cf. Sl 14.4). Até a vinda do nosso Senhor, sempre haverá uma distinção e uma inimizade entre os filhos do mundo e os filhos do Reino de Deus. E assim como Ismael, filho da escrava, perseguia a Isaque, filho da promessa, assim também o homem natural se opõe àqueles que são nascidos do Espírito.

Nunca poderá o mundo maligno ser isento de ódio contra os santos. O mundo alega muitos motivos para odiar os piedosos, no entanto a verdadeira razão da briga são as suas santidades, a sua fidelidade a Deus. Se o mundo odiou a Cristo, não é por nada que odeia aos crentes também. "Se o mundo vos odeia, sabei que, primeiro do que a vós outros, me odiou a mim". Por que alguém odiaria a Cristo? É esta a prova da vileza do mundo: crucificou a Cristo e quer devorar os santos.

5. Os temores daqueles que não temem a Deus. "Tomar-se-ão de grande pavor". A má consciência pode transformar o herói em covarde. As seguintes são algumas descrições da consciência:

"A consciência é a voz da alma assim como as paixões são a voz do corpo. É por isso que há tantas contradições entre elas".

"Não confie nada a um homem que não põe a sua consciência em tudo o que faz".

"A tortura de uma má consciência é o inferno da alma viva".

"A boa consciência faz para a alma aquilo que a saúde faz para o corpo; conserva a constante serenidade e o conforto em nosso íntimo, e mais do que contrabalança quaisquer calamidades externas que possamos sofrer".

"Por isso também me esforço por ter sempre consciência pura diante de Deus e dos homens" (At 24.16).

6. Castelo forte é nosso Deus. "O Senhor é o seu refúgio". Os inimigos ímpios, querendo derrotar os pobres e humildes, acabam sendo arruinados; os poderosos ficaram fracos, e os fracos receberam forças, porque Deus é a fortaleza dos seus santos. Salomão escreveu: "Os arganazes são povo não poderoso, contudo fazem a sua casa nas rochas" (Pv 30.26). Pessoas fracas, se têm bom senso, procuram um refúgio forte; e Deus é o refúgio dos fiéis (Sl 91).

Os pescadores da Bretanha, na França, oram com simplicidade quando começam suas viagens para a Islândia: "Guarda-me, ó meu Deus; meu barco é pequeno e o oceano é vasto". É uma boa oração para os filhos de Deus que viajam pelo oceano da vida.

4

A Vida Santificada

Texto: Salmo 15

Introdução

No Salmo 14, o homem natural foi retratado; e, no Salmo 15, o retrato é do homem espiritual. O salmo descreve o tipo de pessoa que está em condições de ser hóspede de Deus, e as exigências para ele se aproximar de Deus. A estrutura do salmo é simples: uma pergunta, a resposta; e, então, uma promessa final.

I - A Pergunta

"Quem, Senhor, habitará no teu tabernáculo? Quem há de morar no teu santo monte?" A alusão nestas palavras leva a supor que esse salmo foi escrito por Davi na ocasião em que levou a Arca de volta a Sião (2 Sm 6.12-19).

1. O nome santo. Deus é alto e sublime - quem poderia ter comunhão com Ele? É bom meditarmos na natureza de Deus e nos inspirar com um sentimento de reverência para com Ele. Deus é santo e separado do homem em distância e em caráter, sendo, portanto, digno de reverência e de adoração (Is 6.1-5).

2. O tabernáculo santo. Há referência ao tabernáculo erigido no deserto, que depois foi trazido para a Terra Prometida. Era um lugar santo, porque ali era manifestada a presença de Deus, e isso explica o amor e as ardentes saudades que o próprio lugar inspirava nos escritos espirituais (Sl 26.8; 27.4; 84.1). Na sua pergunta, o escritor inspirado interroga quais são as condições segundo as quais Deus oferece sua hospitalidade.

3. O monte santo. "Quem há de morar no teu santo monte?" Quem é digno de ser cidadão de Sião, a cidade de Deus? Para nós, hoje, a pergunta significa: "Quem está em condições de morar na Nova Jerusalém?" (Ap 21).

II - A Resposta

A condição fundamental é a retidão ou justiça, o que inclui atos virtuosos e verdade no falar. Os verbos no hebraico estão no particípio, representando ação habitual e contínua.

1. "O que vive com integridade". Ser íntegro é agir de modo correto, perfeito e completo, em total lealdade a Deus. Não se trata de perfeição infalível, mas pelo menos de um sincero desejo de fazer a vontade de Deus.

2. "E pratica a justiça". Não somente fala acerca da retidão e da virtude, como também as pratica. Sua fé é revelada na sua vida justa e reta. Uma boa árvore produz bons frutos; um bom coração, atos virtuosos.

3."E, de coração, fala verdade". Mesmo seus pensamentos não revelados, lá no seu coração, são sinceros e verdadeiros. Na câmara de conselhos, escondida no seu íntimo, não há conversações secretas com aquilo que é falso e traiçoeiro. A *verdade,* no hebraico, não é somente matéria de fatos físicos (como "dois e dois são quatro") como também a lealdade, a sinceridade, a consistência firme.

4. "O que não difama com sua língua". Qualquer pessoa que fala mal do seu próximo, sobretudo na sua ausência, é um difamador. Se aquilo que alega na sua maledicência for falso, estará acrescentando a mentira e a calúnia à sua difamação. Se for verdadeiro o que disse maliciosamente contra o seu próximo, é um difamador que rouba o bom conceito de outra pessoa, e que quebra a lei do amor cristão.

5. "Não faz mal ao próximo". A palavra *próximo* aqui significa amigo ou companheiro. Há maldade especial em fazer danos até contra aqueles que mais confiam em nós, e dos quais mais gostamos.

6. "Nem lança injúria contra o seu vizinho". Não leva as conversas sobre a vida alheia pela vizinhança afora, a fim de envergonhar o seu vizinho. Será mais lento para acreditar que seu irmão fez algo errado, e não repetirá aos outros qualquer comentário contra ele.

7. "O que, a seus olhos, tem por desprezível ao réprobo". Não vai agradando aos mundanos, fechando seus olhos às suas maldades, achando certas as praxes deles, quando o que realmente precisam é de uma repreensão franca e aberta (ver 2 Rs 3.14).

8. "Mas honra aos que temem ao Senhor". Disse Calvino: "É uma virtude incomum honrar aos homens piedosos e crentes, sendo que, na opinião do mundo, tais homens são freqüentemente considerados lixo do mundo, escória de todos" (cf. 1 Co 4.13).

9. "O que jura com dano próprio, e não se retrata". Quando faz uma promessa que, segundo ele, depois calcula ou percebe pelas circunstâncias imprevistas, lhe acarretará prejuízos, ainda assim cumpre a sua palavra (ver Jz 11.34,35).

10. "O que não empresta o seu dinheiro com usura". A lei proibiu o empréstimo de dinheiro a juros, entre israelitas (Êx 22.25; Lv 25.36; Dt 23.19). Quando era um estrangeiro que pedia um empréstimo, cobrar juros era permitido

(Dt 15.3; 23.20). O sistema moderno comercial permite que alguém ponha seus bens a "trabalhar", recebendo da parte de quem os explora comercialmente um tipo de "aluguel". Em tal situação, a palavra "usura" é aplicada a métodos ilegais de submeter o devedor a taxas ou prestações além do acordado no contrato.

11. "Nem aceita suborno contra o inocente". Recusa qualquer suborno, como testemunha ou como juiz, quando é feita uma acusação contra uma pessoa inocente. O contrário era o costume no oriente, e trata-se de um pecado muitas vezes condenado pelos profetas (Is 1.23; 5.23; Jr 22.17; Ez 22.12; Os 4.18), e não está totalmente ausente do nosso mundo moderno.

III. A Promessa

"Quem deste modo procede não será jamais abalado". Não é aquele que lê sobre este modo de vida, nem que ouve falar sobre o assunto, mas o que vive à altura (Mt 7.24-27; Jo 13.17; Tg 1.22-25; 2 Pe 1.10,11).

IV - Ensinamentos Práticos

1. Os hóspedes de Deus. De acordo com a hospitalidade do oriente, o hóspede é protegido de qualquer dano; quem se refugia na tenda dum beduíno do deserto, acha segurança e sustento. O hóspede de Deus, muito mais, acha proteção de todos os inimigos e participa das generosas provisões que são servidas aos que ali habitam. Essa hospitalidade, enquanto estamos ainda na terra, é a comunhão com Deus. Essa comunhão é rompida por qualquer dos atos maus descritos no salmo, e só o arrependimento e o perdão da parte de Cristo podem restaurá-la.

Deus descreve as condições para essa comunhão, que, depois da morte, passará a ser inefável comunhão eterna no céu. A pergunta "Quem?" mostra que havia uma distinção, mesmo entre aqueles que professavam o nome e a religião de Israel (no Antigo Testamento) ou de Cristo (no Novo Testamento). "Porque não é judeu quem o é apenas exteriormente, nem é circuncisão a que é somente na carne. Porém judeu é aquele que o é interiormente, e circuncisão a que é do coração, no espírito, não segundo a letra, e cujo louvor não procede dos homens, mas de Deus" (Rm 2.28,29).

Quem quiser andar em comunhão com Deus precisa sujeitar à vontade de Deus os pés, as mãos, o coração, a língua, os ouvidos e os olhos. Os hóspedes de Deus devem se conformar aos seus padrões, no comportamento, no pensamento, no serviço cristão.

2. *A verdade no coração.* O Salmo 14 descreve o insensato que diz no seu coração: "Não há Deus", e cujas ações são tão perversas quanto a sua falsa crença. O Salmo 15 mostra o homem que aceita a verdade no íntimo do seu coração (v. 2) e que age à altura da sua fé. É a meditação do nosso coração que finalmente determina a nossa conduta. Mediante o controle próprio evitamos praticar ou falar muitas coisas pecaminosas, contudo o grau de retidão e virtude é muito mais alto e seguro quando expulsamos qualquer pensamento mau do nosso íntimo.

3. *O pecado da difamação.* A difamação é condenada como crime notável (Sl 50.20) que Deus não deixará passar sem castigar, e é uma das abominações de Jerusalém por causa das quais a cidade foi destruída (Ez 22.9); entre os crimes dos pagãos, registram-se os de serem "difamadores e caluniadores" (Rm 1.29,30).

Nada é mais fácil do que entender erroneamente alguma verdade que ouvimos e citar incorretamente alguma declaração alheia. Depois de um comentário ter passado por várias mentes e bocas, adquire novas formas, e finalmente recebemos uma versão totalmente distorcida. Há grande perigo em, descuidadosamente, passar adiante qualquer coisa que ouvimos; muitíssimo mais perigoso é falar qualquer mal contra o nosso próximo, seja verdadeira ou falsa a declaração contra ele.

Certo governador romano disse: "Não é costume dos romanos condenar quem quer que seja, sem que o acusado tenha presentes os seus acusadores e possa defender-se da acusação" (At 25.16)). Não é costume dos crentes, tampouco aceitar falatórios contra os outros sem ouvir o outro lado.

Um crente antigo deixou acima da sua mesa de refeições um quadro escrito: "Aquele que gosta de difamar com palavras amargas aqueles que não estão presentes, não tem lugar nesta mesa".

4. Honra a quem merece honra. "O que, a seus olhos, tem por desprezível ao réprobo". Na política, muitas vezes o homem indigno é honrado por seus companheiros de partido, a fim de todos encobrirem dos de fora os defeitos secretos que há entre a liderança partidária.

O homem que anda em honra e justiça mostrará discriminação na sua estimativa de outras pessoas. Honrará os virtuosos sem levar em conta sua posição social ou política; não aprovará os ímpios como se fossem justos, por mais alto que seja o seu ofício, embora não deixando de respeitar o próprio ofício. Paulo ficou indignado em ver um ímpio tirano ocupando a posição de sumo sacerdote, no entanto teve de respeitar a posição, sem dar razão ao comportamento do ocupante (At 23.3-5).

5. A supremacia do caráter. Altas aspirações e emoções sublimes precisam de virtudes comuns e práticas para conservarem a sua firmeza e realidade. São estas virtudes as qualificações para alguém ser hóspede de Deus, conforme a descrição no Salmo 15.

Estas virtudes precisam de ser devidamente ressaltadas, visto que a experiência nos ensina que é possível alguém passar por experiências de arrebatadoras emoções espirituais e depois fracassar nas virtudes mais práticas, como pagar as dívidas, manifestar um espírito doce e bondoso na vida do lar, ser um bom exemplo para os não convertidos. A igreja em Corinto tinha membros que se jactavam de dons e iluminação espirituais, e ainda toleravam a prática dos pecados mais vergonhosos (1 Co 5.2). Paulo lhes deu, para corrigir isto, bastante doutrina cristã e o glorioso padrão de amor cristão descrito em 1 Coríntios 13.

6. Firmes num mundo de mudanças. O caráter do homem descrito no salmo não somente o qualifica a andar em comunhão com Deus, como também o deixa em condições de ficar firme e inabalável no meio das mudanças e incertezas deste mundo. Como exercício devocional nestes tempos de perturbação mundial, podemos olhar algum livro de história e ler uns jornais da atualidade, e, finalmente, a nossa Bíblia; a história nos mostra as grandes mudanças pelas quais as nações do mundo têm passado, com os impérios que surgem e decaem, e os mapas geográficos sempre alterados, e a Bíblia nos mostra aquele que é o mesmo ontem, hoje e para sempre. Na Bíblia aprendemos que a justiça, prática da vontade de Deus, é a única coisa estável e imutável, e que "o mundo passa, bem como a sua concupiscência; aquele, porém, que faz a vontade de Deus permanece eternamente" (1 Jo 2.17).

5

Deus, Nosso Libertador

Texto: Salmo 18

Introdução

O Salmo 18 foi escrito por Davi depois de todas as suas vitórias, registradas em 2 Samuel 10. O mesmo salmo é registrado em 2 Samuel 22, o que nos leva a pensar que foi escrito perto do fim da sua vida. Neste hino magnífico, o rei poeta dá ao leitor um rápido esboço da sua vida, mostrando como Deus sempre lhe foi gracioso, e como ele, por sua vez, sempre andou em comunhão com Deus. No meio de todas as experiências pelas quais Davi passou na sua vida, o amor e a presença de Deus sempre eram uma grande realidade para ele. Com a ajuda de Deus, todos os inimigos pagãos foram derrotados, e Davi, pensando no seu passado, canta a Deus este salmo de louvor e gratidão pelas muitas libertações recebidas.

Segue-se um esboço desse salmo, depois do qual serão estudados os versículos 19-33.

1) Introdução. Vv. 1-3, mostrando o que Deus tem sido para Davi: Força, Rocha, Cidadela, Rochedo, Escudo, Baluarte, Força da sua Salvação.

2) O registro dos sofrimentos e perigos de Davi, e como Deus o libertou deles todos com poderosa intervenção (vv. 4-19).

3) Essa libertação tinha por base o fato de que Deus governa os acontecimentos neste mundo com sua justiça (vv. 20-30).

4) Davi conta as bênçãos que recebeu durante a sua vida: sua própria preservação (v. 28), e a do seu povo; ajuda e socorro nas batalhas e domínio sobre os inimigos (vv. 31-45).

5) Conclusão. Alegres ações de graças e reconhecimento das misericórdias recebidas da parte de Deus (vv. 46-50).

I - Davi Libertado dos Perigos (Sl 18.19-27)

1. O fato da libertação. Davi relembra os perigos dos quais foi libertado (vv. 4-6). Emprega duas ilustrações: imagina-se abandonado numa pequena ilha que vai se desfazendo diante da força de inundação (v. 4) e depois se descreve como animal do bosque caçado pelas forças do inferno e da morte (v. 5); em tais circunstâncias, clama a Deus, e Ele lhe atende a oração (v. 6). A intervenção divina para socorrê-lo é descrita em linguagem poética, na forma de uma tempestade estrondosa. A causa desta manifestação foi a oração de Davi, e o efeito foi a sua libertação pela poderosa mão de Deus (vv. 16-19).

"Trouxe-me para um lugar espaçoso", um lugar sem emboscadas inimigas ou outras ciladas. José, depois de ficar confinado à prisão, recebeu a posição de passear por toda a terra do Egito, fiscalizando o produto nacional. Davi, depois de ficar cercado na caverna de Adulão, recebeu o trono de Israel e a soberania sobre as nações vizinhas. A libertação é gloriosa depois de uma doença da pobreza paralizante ou de outra circunstância angustiosa. Deus não deixa a obra pela metade: depois de derrotar os inimigos, leva os seus prisioneiros à plenitude da liberdade.

2. *A razão da libertação*. Davi descreve as bases do favor que Deus lhe mostrou. "Livrou-me, porque ele se agradou de mim". A graça de Deus se acha na base de toda e qualquer libertação e a verdade dessa graça se acha no fundo de todo poço de misericórdia. Davi explica por que Deus se deleitava nele: "Retribuiu-me o Senhor, segundo a minha justiça". Não precisamos imaginar que Davi quis se declarar livre de qualquer culpa. Referia-se à honestidade dos seus propósitos, ao sincero esforço para praticar a vontade de Deus, e à sua consciência limpa quanto à sua inteira dedicação a Deus. Neste versículo e no seguinte, podemos comparar Davi ao atleta que diz, com simplicidade: "Guardei as regras do jogo" (cf. At 23.1; 24.16; 2 Tm 4.7,8).

"Recompensou-me conforme a pureza das minhas mãos. Pois tenho guardado os caminhos do Senhor, e não me apartei perversamente do meu Deus". Davi, como viajante cuidadoso, foi seguindo os estreitos trilhos demarcados na Palavra de Deus. "Apartar-se perversamente" se refere a, persistente e deliberadamente, cometer maldade.

"Porque todos os seus juízos (ou mandamentos) me estão presentes, e não afastei de mim os seus preceitos". Os maus lançam os mandamentos de Deus atrás das costas (1 Rs 14.9; Ne 9.26). Davi declara nunca ter agido assim. As pessoas se esquecem daquilo que não desejam guardar nas suas mentes; colocar as Escrituras longe da mente é a maneira mais certa de impedi-las de influenciar a conduta. Os apóstatas começam com Bíblias empoeiradas e, depois, avançam para vestes manchadas. Este versículo ensina a necessidade de levar em consideração assuntos sagrados e o perigo de negligenciá-los.

"Também fui íntegro para com ele e me guardei da iniqüidade". Estas palavras foram faladas em singeleza de coração e não em jactância arrogante. Antes da vinda de Cristo, havia mais ênfase nas obras visíveis da justiça (cf. Ne 5.19). Mesmo assim, duvida-se que Davi pudesse empregar linguagem assim depois da sua queda na tentação (2 Sm 11 e 12). "Daí retribuir-me o Senhor segundo a minha justiça, conforme a pureza das minhas mãos na sua presença". O professor dá prêmios ao estudante, embora tudo quanto o aluno aprendeu fosse graças à orientação do mestre. Da mesma maneira, Deus treina os seus em todas as virtudes, dando-lhes graça para vencer a tentação e ainda lhes dá recompensas para as vitórias que realmente pertencem exclusivamente a Cristo.

3. O princípio revelado na libertação. Nos vv. 25-27 Davi mostra como Deus agiu para com ele, ilustrando o princípio de que Deus recompensa os homens na terra de acordo com a atitude que tomam para com o Criador.

"Para com o benigno, benigno te mostras; com o íntegro, também íntegro. Com o puro, puro te mostras; com o perverso, inflexível". A atitude de cada pessoa afeta a maneira de Deus tratá-la. Deus age com os homens conforme estes agem diante daquele que é fiel por excelência. A atitude piedosa e temente a Deus, da parte dos crentes, faz com que possam receber o eco dessa atitude na própria natureza de Deus. Por outro lado, os que se opõem a Deus descobrirão que Deus se coloca em oposição a eles, com a seguinte diferença: enquanto eles agem com perversidade de espírito, Ele agirá no espírito de retidão e justiça (cf. 2 Tm 2.11-13). Deus abandona os perversos desde que estes deliberem-se a seguir seus caminhos pecaminosos, com suas consequências destrutivas (Rm 1.28).

O modo de Deus agir com os dois tipos de pessoas, descritos acima, se resume no v. 27: "Porque tu salvas o povo humilde, mas os olhos altivos tu os abates". Não somente o povo de Deus reconhecia que "A soberba precede a ruína, e altivez do espírito, a queda" (Pv 16.18), como também os pensadores gregos, como o historiador Heródoto, que assim escreveu: "Os relâmpagos de Deus sempre caem sobre a casa mais alta e sobre a árvore mais elevada. Fica assim bem claro que Deus deseja abater tudo quanto quer se exaltar".

II - A Força de Davi na Guerra (Sl 18.28-33)

Nesta parte do Salmo, Davi se refere à ajuda recebida de Deus nas suas guerras contra as nações pagãs em derredor. Recebeu da parte de Deus:

1. Luz. "Porque fazes resplandecer a minha lâmpada; o Senhor, meu Deus, derrama luz nas minhas trevas". A lâmpada acesa numa casa fala de prosperidade e da contínua presença de vida e felicidade doméstica (Sl 132.17; 1 Rs 11.36; 15.4; 2 Rs 8.19). Do outro lado, a extinção da família real é como o apagar da lâmpada (2 Sm 21.17). Davi aqui fala da preservação da sua própria vida, como rei ungido pelo Senhor.

2. Energia. "Pois contigo desbarato exércitos, com o meu Deus salto muralhas". Davi desbaratou os invasores quando perseguiu e derrotou os amalequitas que tomaram e incendiaram Ziclague (1Sm 30.17). Estas palavras descrevem o ímpeto irresistível pelo qual Davi irrompia nas linhas dos inimigos e nas suas fortalezas. Tudo é feito "com o meu Deus". Davi saltou uma das muralhas quando capturou dos jebuseus a possante fortaleza de Sião (2 Sm 5.6,7). Derrotava os inimigos tanto no campo aberto como quando estavam protegidos por fortes muralhas. Assim como uma palha carregada por um vento tempestuoso pode atravessar uma porta de madeira, Davi se sentia carregado através das fileiras inimigas por uma infusão de força da parte de Deus. O mesmo apóstolo Pedro que tinha medo de uma empregadinha, mais tarde enfrentou os líderes de Israel. O que produziu a diferença? Sem dúvida, a diferença está nesta afirmação: "E Pedro, cheio do Espírito Santo..." A nossa luta não é contra carne e sangue, e, portanto, precisamos ser "fortalecidos no Senhor e na força do seu poder" (Ef 6.10-16).

3. Confiança. "O caminho de Deus é perfeito". O que Deus faz, é feito com perfeição, e não toma meias medidas. A maneira de Deus agir com o seu povo está acima de qualquer crítica. "A palavra do Senhor é provada", como ouro testado no forno e revelado na sua pureza; ou seja, as promessas de Deus são infalíveis, conforme muitas pessoas têm comprovado no meio das mais duras provações. "Ele é escudo para todos os que nEle se refugiam". Nenhuma armadura de aço nem escudo de bronze protege tão bem como Deus cuida dos seus, no meio das lutas da vida em prol da sua causa.

"Pois quem é Deus senão o Senhor?" Havendo um só Deus, Criador dos céus e da terra, podemos confiar totalmente nEle em todas as circunstâncias. "E quem é rochedo senão o nosso Deus?" É só nEle que esperanças sólidas podem ser firmadas; é só nEle que se acha estabilidade eterna; e somente nEle há perfeita força e resistência.

4. Perseverança. "O Deus que me revestiu de força, e aperfeiçoou o meu caminho". Esse revestimento de poder celestial deu a Davi força mais do que humana. Sem ele, teria ficado fraco, com suas energias relaxadas e dissipadas; com ele, sentiu sólidos os seus propósitos, firme a sua coragem e concentradas as suas forças. Sua marcha era tão livre de derrotas que podia ser chamada "perfeita".

A idéia física nesse "revestimento" era um tipo de cinta oriental usada pelas pessoas que viajavam no deserto, dando apoio e descanso para o corpo caso sofresse grandes torções ao passar horas sentado nas costas do camelo. Muito maior apoio é o reforço recebido pelo cristão mediante a oração. Se Deus, na sua providência, não tem como propósito remover do nosso caminho algum obstáculo, concederá forças e graça para nos deixar vencê-lo.

5. Agilidade. "Ele deu a meus pés a ligeireza das corças". Os israelitas consideravam a rapidez no correr, a agilidade e a perseverança, qualidades das mais importantes na guerra, especialmente para a perseguição dos inimigos derrotados, visto que a verdadeira batalha começava quando um dos lados sentia medo e queria fugir. "E me firmou nas minhas alturas", nas fortalezas das montanhas que comandam a vista de vasto território e que são seguras contra um ataque súbito.

III - Ensinamentos Práticos

1. O coração íntegro e a sua tentação inveterada. "Também fui íntegro para com ele e me guardei da iniqüidade". Ou: "me guardei da *minha* iniqüidade", sugerindo que cada pessoa tem alguma tendência especial e particular a certo determinado pecado. O crente íntegro não se permitirá a prática de qualquer pecado conhecido e não ousará tocar no fruto proibido. Confrontado com sua tentação inveterada, dirá, como José: "Como, pois, cometeria eu tamanha maldade, e pecaria contra Deus?" Ainda que se trate dalgum pecado ao qual seu temperamento o torna especialmente suscetível, expulsá-lo-á das suas cogitações.

Cada ser humano tem algum ponto fraco, alguma tendência da sua personalidade que o inimigo sempre está procurando empregar como alavanca para levá-lo ao pecado. Ele pode usar um só vício (uma vez a tendência a tal vício é atiçada até levar o homem a praticá-lo) para arruinar o homem tão vergonhosamente como se praticasse uma enorme quantidade das mais vis indecências. O crente que quer ser forte deve primeiro descobrir os pontos fracos na sua personalidade e fortificá-los com vigilância e oração. Se Satanás quer forçar entrada por algum desses pontos fracos, devemos pedir ao próprio Cristo que venha nos acudir, visto que o inimigo tem muita prática em fazer ciladas para os homens, e só Cristo tem condições de derrotá-lo.

2. *A atitude de Deus é a resposta à nossa atitude.* Esta é a verdade ensinada nos vv. 25,26. Muitas pessoas ficam perguntando a si mesmas por que Deus permitiu que alguma experiência difícil chegasse a elas. Em certos casos, sem dúvida, as provações visam a fortalecer e a purificar o caráter humano. Noutros casos, porém, os acontecimentos desagradáveis podem ser a resposta divina à maneira de agirem para com seu próximo. Deus, às vezes, nos trata duramente porque é assim que tratamos os outros. Davi nos informa que Deus nota como agimos e, portanto, nos trata de acordo. "Bem-aventurados os misericordiosos, porque alcançarão misericórdia" (Mt 5.7). "Com a medida com que tiverdes medido vos medirão também" (Lc 6.38). "Porque o juízo é sem misericórdia para com aquele que não usou de misericórdia" (Tg 2.13).

Cada pessoa receberá a sua comida segundo aquilo que emprega para dar aos outros, e o seu terreno conforme a metragem da sua maneira de se haver com seu próximo. Nenhuma regra poderia ser mais justa - mais terrível para os ímpios e mais honrosa para os justos. Se os homens entendessem que seus truques e "contos de vigário" recairiam contra eles, fugiriam desesperadamente do cometer qualquer ato desonesto.

3. *Acendendo nossa lâmpada no fogo divino.* "Porque fazes resplandecer a minha lâmpada; o Senhor, meu Deus, derrama luz nas minhas trevas". Há um costume entre os egípcios de nunca deixar a casa ficar sem luz acesa, durante a noite inteira, e até os mais pobres preferem reduzir ainda mais sua alimentação diária a ficar sem a luz. Este fato nos ajuda a dar valor à luz perpétua que Deus pode deixar acesa na alma dos que o buscam, a fim de iluminar os passos dos crentes ao longo das partes mais escuras do caminho da vida.

A natureza da vela é feita com condições para receber luz, para depois transmitir a luz enquanto ela mesma vai se consumindo. Não foi descoberta nenhuma tribo primitiva sem capacidade para receber a Luz do Evangelho. Qual é a fonte desta luz? João, o apóstolo, diz: "Deus é luz". Assim como a vela, para receber a luz, tem de se submeter ao fósforo, assim também o homem precisa se submeter a Deus. E, uma vez recebida esta luz celestial, passa a ter o dever de deixar sua luz brilhar diante dos homens. "Eu sou a luz do mundo... Assim como o Pai me enviou, eu também vos envio... Vós sois a luz do mundo... Assim brilhe também a vossa luz diante dos homens, para que vejam as vossas obras e glorifiquem a vosso Pai que está nos céus" (Jo 8.12; 2í.21; Mt 5.14,16).

4. O caminho de Deus é o melhor caminho. "O caminho de Deus é perfeito". Às vezes sentimos dificuldade quanto ao crer nisto, e somos tentados a imaginar que estamos fora de contato com o "Centro de Comando" no Céu. Se, porém, estamos andando firmes segundo a vontade de Deus, logo teremos provas para demonstrar que os seus caminhos são os melhores para nós. Quando Deus tirou seu povo do cativeiro no Egito, levou os israelitas pelo caminho mais longo do Sinai, e não pelo atalho, pela terra dos filisteus, porque os ex-escravos ainda não estavam em condições de enfrentarem exércitos organizados pela sua frente. Às vezes temos pressa para chegarmos ao fim da viagem, mas pode ser que o atalho humano vai nos custar mais tempo e dificuldades do que poderíamos ter imaginado.

5. O Deus eterno é o nosso refúgio. "Quem é rochedo senão o nosso Deus?" Estas palavras contêm um desafio duplo: (1) o desafio aos deuses deste mundo - prazeres, fama, poder, dinheiro, etc. Hoje em dia estas coisas estão sendo adoradas, mas qual delas merece o nome de Deus? Por mais numerosas e brilhantes que sejam, nunca poderão tomar o lugar de Deus; (2) o desafio às "rochas" das quais os ímpios fogem, procurando auto-refúgio - a auto-confiança, a superstição, a justiça própria, etc. Mas qual destas coisas é digna de confiança? Somente Deus é refúgio certo no meio das tempestades da vida, da morte e do juízo eterno.

6. Subindo até aos níveis altos da vida. "Ele deu a meus pés a ligeireza das corças, e me firmou nas minhas alturas". Estas palavras retratam o efeito da profunda fé e comunhão com Deus sobre nosso coração e sobre nossa mente.

• *Forças.* Em Habacuque 3.19, lê-se: "O Senhor Deus é a minha força". Ele não dá como alguém que coloca uma moeda na mão dalgum mendigo em pé, separado da pessoa que lhe dá a esmola - Ele próprio é a nossa força. Não se trata tanto de obtermos a bênção - trata-se de obtermos a Ele próprio. "Tudo posso naquele que me fortalece", disse Paulo.

• *Ligeireza.* A corça, na língua de todas as terras onde ela existe, é considerada o emblema de facilidade de movimento, de ação graciosa, que salta por cima de todos os obstáculos. Equivale à oração: põe molas em nossos calcanhares! (cf. Is 40.29-31).

• *Elevação.* "Me firmou nas minhas alturas". Estas palavras nos fazem pensar num rebanho no cume das montanhas, muito acima dos perigos e dos ataques. A comunhão com Deus nos ajuda a subir voando até tais lugares - os lugares elevados da visão, os lugares elevados da fé, os lugares elevados do prazer espiritual, os lugares elevados do serviço cristão.

6

A Revelação de Deus na Natureza e na Bíblia

Texto: Salmo 19

Introdução

O Salmo 19 descreve a revelação que Deus deu ao homem. O salmista, primeiramente, contempla as obras de Deus e vê nelas a glória do Criador. Depois, com um sentimento de satisfação espiritual, abre as Escrituras, para ler o que se declara sobre Ele na sua revelação dada aos homens através da história humana e por meio de seus servos. Em seguida, sabendo que os deveres do dia o aguardam, e que as tentações lhe podem advir, ora para que a graça de Deus seja revelada na sua alma. Resumindo: diz que Deus é revelado na natureza (vv. 1-6), nas Escrituras (vv. 7-11) e na experiência (vv. 12-14).

I - Deus Revelado na Natureza (Sl 19.1-6)

Deus se revela através da natureza, que declara o seu poder e a sua sabedoria (Rm 1.19,20), e através das Escrituras, que declaram a sua santidade, a sua vontade e a sua graça. Davi nos diz que o testemunho da natureza é:

1. Claro. "Os céus proclamam a glória de Deus, e o firmamento anuncia as obras das suas mãos". O "firmamento" é a extensão dos céus visíveis e a atmosfera terrestre. A primeira metade do versículo declara o fato de que os céus estão publicando a glória de Deus e a segunda metade explica como, ao testificar que Deus os criou. A beleza e a ordem ali reveladas não estão presentes por mero acaso, não são a evolução dalguma força cega embutida na própria matéria. Deus criou o universo, e tudo no universo demonstra a sua glória.

"O livro da natureza tem três folhas - o céu, a terra e o mar - e destas, a do céu é a mais gloriosa, e nos ajuda a ver melhor a beleza da terra e do mar".

2. Incessante. "Um dia discursa a outro dia, e uma noite revela conhecimento a outra noite". Cada dia dá o seu testemunho ao dia seguinte, e cada noite passa o recado para a noite seguinte; desta forma, não há nenhuma pausa ou interrupção na impressionante procissão da natureza, e o seu testemunho fica incessante. Para sempre permanece o mesmo. O dia nos convoca a trabalhar, a noite nos faz pensar em nossos preparativos para o fim da vida; o dia nos manda servir ativamente a Deus, a noite nos convida a descansar nEle; o dia nos faz pensar no Dia Eterno, e a noite nos adverte contra cairmos na Noite Eterna (cf. Jo 9.4).

3. Silencioso. O v. 3 significa que o testemunho dos céus é inaudível, e que seu esplendor silencioso fala de Deus. A natureza tem uma linguagem cujo dialeto não pode ser classificado entre os falados no mundo. Sua voz fala, não ao ouvido, mas ao coração devoto que escuta a mensagem: "A mão que nos criou é de Deus".

4. Mundial. "Por toda a terra se faz ouvir a sua voz, e as suas palavras até aos confins do mundo" (v. 4). Em Romanos 10.18 Paulo cita estas palavras como descrição da pregação do Evangelho em escala mundial. O testemunho universal da natureza deixa indesculpável qualquer nação ou tribo que descrê da existência e do poder de Deus. Da mesma forma, a pregação do Evangelho até aos confins da terra deixou Israel sem desculpa para dizer que nunca ouviu.

5. Glorioso. "Aí pôs uma tenda para o sol, o qual, como noivo que sai dos seus aposentos, se regozija como herói, a percorrer o seu caminho". É como um rei fazendo seu impressionante acampamento ao percorrer majestosamente pelo seu império. Esses mensageiros celestiais, isto é, sol, a lua e as estrelas, levaram sua mensagem para todos os cantos da terra. São os pregadores viajantes de Deus; são apóstolos que confirmam na fé aqueles que adoram ao Senhor, e juízes em circuito que condenam aqueles que adoram a ídolos.

II - Deus Revelado nas Escrituras (Sl 19.7-11)

O salmista menciona especialmente aquela parte da Palavra de Deus que trata da conduta: a Lei de Deus. Seis características da Lei, seis modos de encará-la, se descrevem nas seis palavras abaixo:

1. A lei. "A lei do Senhor é perfeita, e restaura a alma". A palavra "lei" abrange não somente os preceitos da lei de Moisés como também toda a instrução divina com respeito à conduta humana e aos deveres do homem. A palavra se refere ao corpo inteiro da doutrina divina achada na totalidade do Antigo Testamento, conforme se vê nas referências a ela em 1 Coríntios 14.21; João 10.34; 15.25. Em hebraico, a palavra significa literalmente "instrução" ou "educação".

"A lei do Senhor é perfeita". É perfeita visto que nada pode ser acrescentado a ela, e nada removido; é perfeita porque é eterna no próprio céu. É completa, satisfazendo completamente as necessidades humanas quanto à redenção e à santificação. Deus dispôs sua revelação de tal maneira que não há porções redundantes, e nada falta para o nosso conhecimento do caminho da salvação. Assim também, o Evangelho é perfeito como um todo; é crime acrescentar palavras a ele, é traição alterá-lo, e é um assalto furtar dele qualquer palavra.

"Restaura a alma". A lei de Deus fala às partes mais profundas da natureza humana, tocando e influenciando sua consciência , seu raciocínio e sua vontade, e fazendo a alma voltar dos seus desvios a fim de levá-la de volta para Deus. O propósito da Palavra de Deus é restaurar o homem à posição perdida por causa do pecado. O meio para a conversão das almas é a pregação da Palavra de Deus, e a filosofia humana não tem lugar no púlpito.

2. O testemunho. "O testemunho do Senhor é fiel, e dá sabedoria aos símplices". A palavra "testemunho" indica a revelação divina daquilo que Deus é, e daquilo que fez, está fazendo e ainda fará. Com referência à lei, estes fatos são o testemunho de Deus contra o pecado e em prol da virtude. É "fiel", verdadeiro, fixo, firme e estável, em contraste com as opiniões fugazes e sempre diferentes do raciocínio humano. As teorias humanas chegam e desaparecem, os textos científicos passam por revisões, e as grandes enciclopédias têm de ser reeditadas cada ano. A Palavra de Deus, porém, é imutável, porque é a verdade eterna. O efeito: "dá sabedoria aos símplices". Aquele que lê, estuda, entende e obedece a Palavra de Deus ficará sendo um homem realmente sábio. A maior sabedoria é saber qual o objetivo mais sublime do conhecimento e dedicar-se à sua procura. Esse conhecimento mais sublime é conhecer o próprio Deus. "O temor ao Senhor é o princípio da sabedoria".

3. Os preceitos. "Os preceitos do Senhor são retos, e alegram o coração". A idéia da palavra "preceito" vem do conceito de "transmitir responsabilidade". Trata-se de deveres e ordens específicos impostos por Deus aos homens. São "retos" - não são ordens cruéis e impraticáveis impostas por um tirano caprichoso, mas, pelo contrário, são regras baseadas na razão e na retidão, impostas visando ao benefício do homem. Os preceitos são retos porque foram dados por Deus, e Deus os deu porque são retos. O efeito: "alegram o coração". A mesma verdade que faz o coração reto diante de Deus, dá alegria ao coração reto. A Palavra de Deus oferece um deleite e um regozijo que nenhuma literatura humana pode providenciar.

4. O mandamento. "O mandamento do Senhor é puro, e ilumina os olhos". O "mandamento" é uma regra para regular a conduta e inclui mandamentos positivos e negativos (proibições). É "puro", pois não há mistura de erro para sujá-lo, nenhuma mancha de pecado para poluí-lo. "Desejai ardentemente, como crianças recém-nascidas, o genuíno (não alterado) leite espiritual, para que por ele vos seja dado crescimento para salvação" (1 Pe 2.2). O efeito: "ilumina os olhos". Em virtude da sua própria pureza, limpa toda mancha que estraga a visão espiritual. Se o nosso olhar espiritual é fraco por causa de pecados, de tristezas, de desânimo ou de ignorância, a Palavra de Deus é como oculista perito, que pode fazer com que os olhos vejam com clareza.

5. O temor. "O temor do Senhor é límpido, e permanece para sempre". O temor, ou a reverência, descreve o efeito da lei de Deus. Refere-se à instrução que Deus nos dá a fim de inspirar em nós a reverência para com Ele. A expressão "temor do Senhor" corresponde à nossa palavra moderna "religião" - no seu sentido mais alto - como, por exemplo, quando Abraão disse: "Certamente não há temor de Deus neste lugar" (Gn 20.11), quis dizer que o povo não tinha religião. A essência da religião é sentir reverência por Deus no fundo do coração. A verdadeira reverência para com Deus e seus mandamentos é uma força purificadora que expurga o amor ao pecado e santifica o coração. O efeito: "permanece para sempre". Enquanto todos os governos do mundo estão sendo sacudidos e as antigas constituições estão sendo canceladas e revogadas, é uma consolação saber que há algo imutável ao qual a alma humana se pode ancorar - o trono inabalável de Deus e a sua Palavra imutável. O temor a Deus, inspirado pela sua Palavra, permanecerá para sempre, sobrevivendo todas as tentativas humanas de "abolir a religião".

6. Os juízos. "Os juízos do Senhor são verdadeiros e todos igualmente justos". Os juízos são as declarações da parte de Deus que definem quais atos ou modos de conduta são certos, e quais são errados. Os Dez Mandamentos são os juízos de Deus acerca da vida de cada indivíduo; as leis em Êxodo 21 até 23 são seus juízos quanto à vida nacional de Israel; e o livro de Levítico registra seus juízos com respeito às formas do culto. São verdadeiros e justos individualmente e como coletânea completa. Representam a verdade, e se recomendam a toda mente veraz e sincera.

"São mais desejáveis do que ouro, mais do que muito ouro depurado". As verdades bíblicas enriquecem a alma de modo ilimitado. Assim como os tesouros espirituais valem mais do que os materiais, devem ser procurados com muito maior interesse e dedicação. Muitos homens já abandonaram todos os confortos da civilização e enfrentaram grandes perigos na busca do ouro; e o crente deve ser ainda mais dedicado na sua procura dos ricos tesouros da verdade divina. De fato, a Bíblia só revela as mais ricas pepitas da verdade àqueles que as procuram com dedicação total. "São mais doces do que o mel e o destilardos favos". Esta ilustração descreve a deliciosa sensação obtida ao entender a Palavra de Deus, que ultrapassa qualquer prazer obtido de composições humanas. "Além disso, por eles se admoesta o teu servo". Enquanto viajamos pelo mar da vida, somos preservados do naufrágio pelos avisos contra tempestades, os quais nos advém da parte de Deus e nos acautelam em tempo, se a eles prestamos atenção. "Em os guardar há grande recompensa". Às vezes, parece que os fiéis sofrem certas perdas e dificuldades, por um tempo, por causa da sua dedicação à causa de Deus, porém, afinal das contas, ganharão tudo quanto vale a pena. Mesmo nesta vida presente, uma consciência tranqüila é uma recompensa enorme. A virtude já é uma recompensa em si mesma, e, além disso, será finalmente coroada pelo galardão oriundo de Deus.

III - Deus Revelado na Experiência (Sl 19.12-14)

A contemplação do padrão estabelecido por Deus deixa o salmista sentir sua própria pobreza e necessidade. "Pela lei vem o pleno conhecimento do pecado" (Rm 3.20). É por isso que a leitura da Palavra nos leva espontaneamente a uma oração pedindo livramento de Deus sobre o pecado, uma oração pela graça divina. O salmista pede proteção de quatro tipos de pecado:

1. O pecado da fraqueza. "Quem há que possa discernir as próprias faltas?" A palavra "falta" indica um pecado cometido por causa da fraqueza da vontade humana, por descuido, em contraste com os pecados presunçosos cometidos, insolência e rebeldia contra Deus. Inclui os erros e perversões das emoções, da vontade, do são juízo, da consciência, dos desejos, das ações. A pergunta significa: Quem pode perceber e lembrar-se de todos os pecados cometidos por falta de consideração, por fraquezas, por descuido, e quem pode pesquisar o efeito que tiveram, ao ponto de poder fazer completa restituição? A resposta é: "Enganoso é o coração, mais do que todas as coisas, e desesperadamente corrupto, quem o conhecerá? Eu, o Senhor, esquadrinho o coração, eu provo os pensamentos" (Jr 17.9,10). Somente Deus pode entender perfeitamente o nosso coração, e, na medida em que entregamos a Ele tudo que há em nosso íntimo, Deus, que vê e compreende os nossos pecados, perdoa-los-á e subjuga-los-á.

2. Pecados secretos. "Absolve-me das que me são ocultas". As falhas ocultas ao pecador são os pecados cometidos em ignorância. Além dos pecados cometidos por nós conscientemente, há uma massa negra de pecados em nosso subconsciente, a qual não percebemos, mas que Deus vê, pecados tão reais quanto aqueles que reconhecemos e confessamos. As transgressões vistas e confessadas por nós são apenas uma mínima amostra de tudo quanto há em nosso coração. Como faremos, então? Assim como um cobertor sujo, depois de ser escovado para tirar os insetos visíveis, é colocado na luz do sol para matar os germes invisíveis, assim também nós, depois de confessar a Deus todos os nossos pecados conhecidos, somos purificados dos pecados secretos ao abrir nosso coração para aquele que é "Sol da Justiça" e "Luz do Mundo".

3. Pecados presunçosos. "Também da soberba guarda o teu servo". Depois de orar pela purificação dos pecados do passado e do presente, o salmista pede a Deus que o preserve dos pecados futuros. Os pecados que mais teme são os cometidos deliberadamente, em orgulhosa zombaria e rebeldia contra Deus. São os pecados evidentes, cometidos por livre escolha da vontade, contra a luz já conhecida, cometidos com desígnio e resolução, contra todos os apelos da consciência e contra a atuação do Espírito Santo no seu íntimo. Tais pecados são atos de rebeldia contra Deus. São os pecados cometidos atrevidamente, com desprezo à Palavra de Deus, os únicos pelos quais não havia expiação segundo as leis sacrificiais (Nm 15.29-31). O sangue de Jesus, porém, faz expiação até para este tipo de pecado, havendo verdadeiro arrependimento por parte do pecador. "Guarda o teu servo". Para o pecador, é um desagrado ser guardado do pecado, todavia é uma alegria para o piedoso crente. "Que ela não me domine". O pecado é um tirano; oferecido uma pequena abertura, entrará para tomar posse da alma (cf. Rm 6.14). "Então serei irrepreensível, e ficarei livre de grande transgressão". São os pecados deliberadamente cometidos contra tudo quanto sabemos ser a vontade de Deus; que endurecem o coração, e, às vezes, até ao ponto de não sobrar nenhuma sensibilidade aos impulsos do Espírito Santo. Para o homem fraco e pecaminoso na terra, o grau de inocência que se pode atingir é ser livre deste tipo de pecado deliberado. O que passa disso é exclusivamente a obra expiadora de Cristo, que nos atribui a posição de justos e santos, e a obra santificadora do Espírito Santo, que opera obras de santidade através de nós.

4. Pecados de palavras e pensamentos. "As palavras dos meus lábios e o meditar do meu coração sejam agradáveis na tua presença, Senhor, rocha minha e redentor meu!" A oração de Davi, rogando a purificação de Deus, chega ao seu ponto alto quando pede que suas próprias palavras e pensamentos sejam aceitáveis a Deus. Aquele que sinceramente apresenta esta petição ao Pai que vê em secreto, revela ser um cristão sincero, ainda que seja um cristão fraco.

IV - Ensinamentos Práticos

1. A religião e a ciência. Deus se revelou na natureza, que é pesquisada pelos cientistas, e na Bíblia, que é a meditação dos fiéis. Muitas pessoas empregam sua inteligência na procura de discrepâncias entre as duas, entretanto Deus é autor de ambas, e não pode haver conflito entre elas. Deus é um só, e as verdades científicas e religiosas são verdades na medida em que são extraídas da revelação de Deus.

A religião e a ciência operam em esferas diferentes. A ciência trata do mundo físico e das suas manifestações captados pelo homem através dos seus cinco sentidos; é pelo nascimento físico que entramos neste mundo. A religião se ocupa com o mundo espiritual e com as suas manifestações captadas por nosso sentido espiritual, a fé; é pelo segundo nascimento que a entramos no mundo espiritual. O cientista, por maior que seja a sua capacidade intelectual, por mais experiências que tenha feito em assuntos do mundo material, sempre precisará do segundo nascimento para ter a autoridade de fazer pronunciamentos acerca de coisas espirituais, porque "O homem natural não recebe as coisas do Espírito de Deus". Em assuntos espirituais, é a Bíblia que contém a revelação total e final; ela é, em si mesma, a declaração perfeita de Deus quanto à religião.

A ciência e a religião, além de operarem em esferas diferentes, têm maneiras diferentes de estudarem a vida. A ciência analisa a vida e pesquisa os processos dela; a religião trata das causas e do significado da vida. A ciência analisa e classifica, a religião interpreta. A ciência responde às perguntas: "O quê?" "Como?" e a religião responde às perguntas: "Por quê?" "De onde?" Qual delas, pois, possui o modo correto de encarar a vida? A resposta é que ambas estão certas, dentro do seu próprio campo. As várias manifestações da vida podem ser classificadas pela ciência, mas só a Palavra de Deus revelada pode nos explicar a razão de ser da vida.

2. *A natureza, a grande pregadora.* Qual é o assunto do sermão? "A Glória de Deus". Quem são os ouvintes? "Toda a terra". Prega esplendidamente, de modo constante, imparcial e sempre novo. Os pregadores humanos vão e voltam, e a morte põe fim ao seus ministérios. A natureza, porém, continua pregando sem cansaço nem interrupções, dia após dia, e século após século, dando testemunho a Deus (At 14.17). Quais são os resultados? Como acontece no caso da pregação das Escrituras, alguns podem perceber a glória de Deus nas obras dEle, enquanto outros nada mais percebem na natureza do que o movimento cego de causa e efeito. É este o mistério da descrença!

A pregadora natureza é limitada na sua mensagem, sendo que não nos conta qual é a solução para o pecado contra

Deus, cuja glória ela proclama. Como João Batista, precisa dizer que após ela vem alguém superior a ela, e prepara nossos corações para a Palavra escrita que nos informa do plano de Deus para a salvação do homem caído.

3. O filho e o sol. "Mas para vós outros que temeis o meu nome nascerá o sol da justiça, trazendo salvação nas suas asas" (Ml 4.2). O sol brilha nos céus naturais, e Cristo brilha no céu da graça. Assim como o sol é centro do sistema solar, Cristo é o centro da nossa vida espiritual. O sol é a luz física do mundo, e Cristo é a luz espiritual do mundo. A luz do sol pode ser excluída dalgum lar por meio de cortinas; Cristo pode ser excluído de corações humanos. Jesus, como o sol, habita no meio da revelação, e, em todo o seu brilho, faz sua habitação entre nós; regozija-se, como Noivo da sua igreja, em revelar-se aos homens; e, como campeão, ganha renome para si mesmo. Faz seu circuito da misericórdia pela terra, abençoando os cantos mais remotos; e nenhuma alma que procura a sua graça é tão depravada e degradada que fica sem receber o calor e a bênção do seu amor.

7

Um Retrato da Cruz

Texto: Salmo 22

Introdução

No Salmo 22 vemos um homem bom cercado por inimigos que zombam dele, que triunfam com os sofrimentos dele, e sujeitam-no a torturas físicas. Ele se volta para Deus, em quem confiou durante toda a sua vida, e recebe a certeza de que será vitorioso sobre a morte. Esta vitória será proclamada no meio do povo de Israel, e além das fronteiras desse território; todas as nações virão e adorarão a Ele.

Quem é o homem descrito no salmo? O título mostra que é o próprio autor, Davi. Mas nada há nas experiências de Davi que corresponda à descrição dada no texto. Ele nunca passou por sofrimentos que incluíam a distribuição das suas vestes e o traspassar das suas mãos e dos seus pés. Somente quando nos aproximamos da cruz de Cristo é que aprendemos a identidade do sofredor.

O salmo tem duas partes: a primeira descreve sofrimentos dolorosos (vv. 1-21); e a segunda expressa uma esperança triunfante (v. 22-31).

I - O Clamor (v. 1)

"Deus meu, Deus meu, por que me desamparaste? Por que se acham longe de meu salvamento as palavras do meu bramido?" Este não é o "por quê?" da impaciência ou do desespero, não é o murmúrio pecaminoso de alguém cujo coração se rebela contra sua provação; é como o clamor de alguma criança perdida que não entende por que o pai a deixou sozinha, e que deseja ver o seu rosto outra vez. É o clamor de algum santo passando por uma prova intensa da sua fé (vv. 3-5).

Passam-se mil anos, e mais uma vez se ouve o mesmo clamor, desta vez do alto de uma cruz romana: "Deus meu, Deus meu, por que me desamparaste?" (Mt 27.46). Os que estavam presentes não entendiam e confundiam a palavra "Eli" (Deus meu) com o nome do profeta Elias, pensando que Jesus clamasse a Elias por socorro. Um dos soldados lhe deu vinho azedo para aliviar-lhe a sede. Alguns dos judeus zombavam, dando a entender que não se devia dar alívio ao sofredor, e que seria interessante ficar olhando para ver se Elias realmente chegaria.

Até hoje há muitas pessoas que não entendem o clamor de aflição de Cristo; pensam que entra em contradição com suas declarações anteriores pelas quais anunciava ser o Filho de Deus. Outras zombam, e consideram-no uma expressão de fracasso total da obra à qual Cristo dedicou a sua vida.

A chave que abre o mistério é o fato de que Cristo estava citando as Escrituras. Qualquer pessoa perto da cruz, que conhecesse a sua Bíblia, saberia que Cristo estava citando o começo do Salmo 22 que descreve um santo temporariamente abandonado por Deus (v. 1), zombado pelos inimigos (vv. 7,8), cercado pelos algozes que lançam sortes pelas vestes dele (vv. 12,13,17,18) e que traspassaram-lhe as mãos e os pés (v. 16), mas que depois recebe a libertação (vv. 21,24-31). Davi, autor do salmo, nunca passou por semelhantes experiências, a crucificação nunca era uma forma judaica de suplício. As palavras escritas por ele profetizavam aquilo que aconteceria ao Messias, descendente de Davi. Qualquer judeu conhecedor das profecias, que ficasse perto da cruz, peceberia que Jesus estava cumprindo o Salmo 22. Isto ajuda a explicar a declaração registrada por Lucas: "E todas as multidões reunidas para este espetáculo, vendo o que havia acontecido, retiraram-se a lamentar, batendo nos peitos" (Lc 23.48). Por certo alguns deles reconheciam que ali estava o Messias, morrendo pelos pecados deles.

Além disso, podemos considerar que estas palavras, faladas por Jesus, eram a resposta à zombaria dos sacerdotes e anciãos (Mt 27.41-43). O argumento deles era: um homem assim abandonado por Deus não pode ser um homem bom, e muito menos o Rei de Israel e Filho de Deus. A resposta de Jesus era: pode *parecer* que alguém foi abandonado por Deus, como o santo descrito no Salmo 22, mas ainda será publicamente vindicado ao ser libertado da morte e exaltado no meio dos seus irmãos.

Cristo não morreu como alguém vencido pela morte; morreu vitorioso contra as forças do maligno, conforme o predeterminado plano de Deus.

II - O Opróbrio (v. 6)

"Mas eu sou verme (cf. Is 41.14), e não homem; opróbrio dos homens e desprezado do povo" (cf. Is 49.7; 52.14; 53.2,3). O verme simboliza alguém extremamente fraco e indefeso - objeto de desprezo em que se pisa sem consideração. Jesus foi tratado assim pelos líderes religiosos judaicos (que odiavam a verdade) e pelos governantes romanos (que eram indiferentes à verdade). Percebe-se quão profundamente Jesus era "desprezado e o mais rejeitado entre os homens" (Is 53.3) quando o povo expressou seu desejo que um assassino vil fosse libertado enquanto Ele fosse levado à crucificação (At 3.14).

III - A Zombaria (vv. 7,8)

"Todos os que me vêem zombam de mim; afrouxam os lábios e meneiam a cabeça". Eram gestos de desprezo e de júbilo maldoso (cf. Mt 27.39). O desprezo deles se expressa nas palavras: "Confiou no Senhor! livre-o ele, salve-o, pois nele tem prazer". Mateus registra que foram estas mesmas as palavras faladas pelos sacerdotes na crucificação de Cristo. Estavam cumprindo a profecia sem se darem conta disto.

IV - O Apelo (vv. 9,10)

O sofredor, com fé inabalável, transforma a zombaria dos inimigos em um argumento em prol da sua libertação. O v.9 diz: "Sim, zombam da minha confiança em Ti, mas mesmo assim continuo confiando em Ti, pois Tu me tens acompanhado desde o meu nascimento, e não vás me abandonar agora". Cristo sabe que será sustentado, consolado e libertado pelo Pai. Nós, como crentes, podemos raciocinar assim também. Recebemos da parte de Cristo a vida nova, e Ele nos dará tudo quanto é necessário para vivê-la.

V - O Ataque (vv. 12,13)

O salmista descreve a violência dos algozes: "Muitos touros me cercam, fortes touros de Basã me rodeiam". Basã era uma terra de pastagens pelas quais andavam manadas de gado em estado semi-selvagem. O sofredor compara os adversários a touros, animais ferozes em qualquer parte do mundo, porém mais especialmente ali na Palestina. Na Judéia do sul, esses touros têm o hábito de formar um círculo ao redor de qualquer objeto ao qual não estão acostumados, e facilmente podem ser levados a atacar com os chifres, numa investida pesada.

"Contra mim abrem as bocas, como faz o leão que despedaça e ruge". Estes adversários, ferozes e ameaçadores como touros, são famintos e sanguinários como leões.

O tumulto e o barulho daqueles que exigiam a morte de Jesus se registram em Mateus 27.23,24.

VI - A Fraqueza (vv. 14,15)

Depois de descrever a violência dos inimigos, passa a descrever os efeitos na sua própria pessoa de toda esta violência: "Derramei-me como água" - palavras que descrevem a extrema fraqueza e a prostração total. "Todos os meus ossos se desconjuntaram". A grande tensão física do corpo pendurado na cruz era uma constante ameaça de deslocar as juntas dos braços, e cada osso do corpo inteiro sentiria a terrível dor. "Meu coração fez-se como cera, derreteu-se-me dentro de mim". O colapso do coração era a causa principal da morte na crucificação. A falta de sangue venoso, para estimular o coração, causaria palpitações, tonturas e, finalmente, a morte por insuficiência cardíaca.

"Secou-se o meu vigor, como um caco de barro" - como um pequeno artefato de barro deixado no sol para se transformar em cerâmica, como alguém morrendo de sede no deserto. "E a língua se me apega ao céu da boca", por causa da terrível sede, grandemente aumentada pelas feridas.

O sofredor passa a desviar sua atenção dos mecanismos do sofrimento, a fim de olhar para Deus que os permitiu. "Assim me deitas no pó da morte". Embora teria de passar pela morte, reconhece que Deus está controlando todas aquelas circunstâncias (cf. Is 53.10; At 2.23). Embora crucificassem a Jesus com mãos ímpias, os líderes dos judeus estavam cumprindo o propósito de Deus, sem disto saberem.

VII - O Corpo Traspassado (v. 16)

Os inimigos foram comparados a touros e leões; agora são descritos sob a figura de uma alcateia de cães selvagens. "Cães me cercam; uma súcia de malfeitores me rodeia". Talvez haja aqui referência aos soldados romanos

(Mt 27.27-35). "Traspassaram-me as mãos e os pés", forma de castigo desconhecido no tempo de Davi, entre os judeus. Aqui temos um exemplo do Espírito da profecia, dando "de antemão testemunho sobre os sofrimentos referentes a Cristo" (1 Pe 1.11).

VIII - O Olhar Ofensivo (vv. 17,18)

"Posso contar todos os meus ossos". A tensão do corpo inteiro na crucificação fazia com que os ossos ficassem em evidência. "Eles me estão olhando e encarando em mim" (cf. Lc 23.35; Mt 27.36), como uma multidão curiosa vendo uma execução.

"Repartem entre si as minhas vestes, e sobre a minha túnica deitam sortes". Esta circunstância é o toque final no retrato da execução, significando que tudo estava acabado; a vítima estava morrendo, e nunca mais precisaria das suas roupas.

O sofrimento leva à oração (vv. 19-21); a oração, ao louvor, e agora é o Trono, e não a cruz, que se faz visível ao olhar profético. O cantor inspirado vê a coroa depois da cruz, e a aceitação, por parte de pessoas do mundo inteiro, da sabedoria dAquele que foi traspassado e desprezado.

IX - Ensinamentos Práticos

1. A oração não atendida (vv. 1,2). Existem várias razões por que nossas orações podem ficar sem resposta: a falta de fé, a negligência do dever, a prática deliberada de pecados conhecidos, o pedir de modo contrário à vontade de Deus, a falta de perseverança. Estudemos as duas últimas destas razões.

Com nosso modo meramente humano de encarar a vida, queremos muitas coisas que não seriam para o nosso próprio bem, se Deus as concedesse. Deus, na sua bondade, não se deixará dobrar por nossa tolice em pedir aquilo que não nos convem. Qualquer pessoa com um pouco de experiência cristã pode testificar que teria sofrido uma ruína espiritual se Deus tivesse atendido certas petições erroneamente proferidas. Mesmo quando estamos pedindo algo, devemos ter uma atitude de renúncia, de ficar sem aquilo que almejamos, se a sabedoria divina tem coisas diferentes para nós. Deus sabe o que é melhor para nós, e sua vontade deve ser procurada em todas as nossas orações. Como crentes salvos, temos de expressar a nossa espiritualidade em oração e cooperar com Deus; Ele não nos sonegará coisa alguma de que necessitamos para o nosso próprio bem.

A falta de perseverança é outra causa comum do não atendimento das nossas orações. Na II Guerra Mundial, navios de guerra britânicos queriam forçar caminho pelos *Dardanelos*, mas finalmente recuaram. Se tivessem continuado a bombardear com os seus canhões por mais alguns momentos, teriam vencido, porque os turcos já estavam com suas últimas munições para se esgotarem.

Deixamos de colher os frutos de muitos períodos de oração por causa de cessarmos, um pouco cedo demais, de "bombardear" os céus com as nossas petições. Jesus ensinou que mesmo se Deus fosse como um vizinho egoísta (Lc 11.1-13) ou um juiz injusto (Lc 18.1-8), ainda valeria a pena orar, porque em ambos os casos citados como exemplos, a perseverança na oração foi a chave da vitória espiritual. Jesus praticou na cruz aquilo que pregara ao povo. Embora parecesse que seu Pai já não o escutava, continuou orando e clamando: "Deus meu". Assim aprendemos que a demora na resposta à oração não significa necessariamente que Deus ficou longe de nós.

2. Quando parece que Deus está longe de nós (v. 1). Aqui há consolação para o crente que, por um tempo, não desfruta da sensação da presença de Deus. Podemos perder, em momentos de desânimo, a calorosa convicção de quanto Deus nos ama. Foi assim que Cristo, amado Filho do seu Pai, teve de passar pelos momentos duros de carregar sobre si, em prol dos pecadores, a perda da plena comunhão com o Pai. Se certas manifestações e consolações espirituais que temos sentido se fazem ausentes por um tempo, nossa obediência, lealdade e fé em Deus devem continuar da mesma forma. Pondo Deus em primeiro lugar, não ficaremos por muito tempo privados da sensação do seu amor em nossa vida.

3. A fé no meio dos zombadores (v. 8). Aqui a zombaria é uma arma atirando contra a parte mais tenra da alma do homem piedoso - a sua fé em Deus. Havia nestas palavras uma zombaria mordaz de ironia e desprezo que, por certo, feriu a alma de Jesus mais do que os pregos feriam o seu corpo. Quando sofremos escárnio em razão da nossa fé em Cristo, podemos tirar consolo do exemplo daquEle "que suportou tamanha oposição dos pecadores contra si mesmo" (Hb 12.3).

O verdadeiro crente manifestará a sua fé em Deus. Esta fé, no entanto, sempre será objeto de mal entendimento da parte dos não convertidos, que por certo hão de zombar de tempos em tempos. Virá a hora, porém, em que a nossa confiança em Deus será plenamente vindicada. Os homens zombam na terra, mas a última palavra ficará com Deus: "Ri-se aquele que habita nos céus; o Senhor zomba deles" (Sl 2.4).

4. Deus, os homens e os animais. Neste salmo, os algozes do nosso Senhor são comparados a touros, leões e cães. As Escrituras, com freqüência, se referem figurativamente aos animais para simbolizarem alguma característica da natureza humana. Recebemos advertência contra praticarmos a astúcia maliciosa das raposas (Lc 13.32), a impureza e ferocidade dos cães selvagens (Fp 3.2; Ap 22.15), a fraqueza e instabilidade das ovelhas (Mt 9.36), e a impureza dos porcos (Mt 7.6). Somos exortados a demonstrarmos a coragem dos leões (Pv. 28.1), a sabedoria das serpentes e a inocência das pombas (Mt 10.16), a indústria das formigas (Pv 6.6), a nobreza elevada das águias (Is 40.31), a agilidade das corças (Hc 3.19).

Cristo, cercado pelos "cães", pode tipificar a alma humana cercada pelo mau humor, o temperamento incontrolado, o egoísmo, a malícia, a impureza e outras influências más que querem "morder" nossa alma.

5. A cruz revela o pecado do homem e a graça de Deus. Pensadores modernos, no esforço de diminuírem a verdade sobre a natureza maléfica do pecado, procuram descrevê-lo em termos científicos. Fala-se em pessoas sociologicamente mal ajustadas, psicologicamente desequilibradas, ou com defeitos bioquímicos. O ser humano moderno ainda conserva a ilusão dos construtores de Babel, que com seus próprios esforços pode atingir o céu, e quer imaginar que nada há no pecado que não possa ser corrigida mediante educação, a administração de drogas, e treinamento psicológico ou sociológico.

A seriedade do pecado é revelada pelas medidas drásticas que Deus tinha de tomar contra ele. A cruz de Cristo foi a cura caríssima que revela a gravidade do estado da enfermidade espiritual. O Santo veio habitar entre os homens, e eles rejeitaram-no, desprezaram-no, zombaram dEle, e pregaram-no à cruz. É o pecado que causou todos aqueles acontecimentos. Esta mesma cruz, porém, é também a revelação da misericórdia de Deus. A cruz nos fere, pois revela quão grande é o nosso pecado. O pecador, com coração contrito, clama: "Que farei?" A mesma cruz, porém, nos sara e vivifica, porque a sua mensagem é: "Crê no Senhor Jesus, e serás salvo".

6. A propiciação e o padrão. "Porquanto para isto mesmo fostes chamados, pois que também Cristo sofreu em vosso lugar, deixando-vos exemplo para seguirdes os seus passos" (1 Pe 2.21). Cristo fez propiciação ao morrer em nosso lugar, pagando a penalidade dos nossos pecados, edeixou-nos seu exemplo, o padrão da vida cristã. Muitas pessoas professam seguir a Cristo como padrão de vida, mas rejeitam sua condição de Salvador. Outros aceitam Cristo como Salvador, no entanto não deixam que Ele seja seu padrão para a vida diária. Cristo pouca coisa pode fazer para nós como padrão, se primeiramente não o aceitarmos como propiciação, porque o homem pecaminoso não pode seguir os passos de Jesus sem primeiro ter sido salvo e purificado. Por outro lado, a pessoa que aceita a salvação pela fé em Cristo, não pode influenciar favoravelmente o mundo ao seu redor em direção a Ele se o próprio crente não está demonstrando o poder da cruz ao seguir o exemplo de Cristo. "Aquele que diz que permanece nele, esse deve também andar assim como ele andou" (1 Jo 2.6).

O Dr. Percival, cirurgião cristão, tinha uma única filha, Kitty, a quem amava muito. Quando ela foi crescendo, queria ser uma missionária. Dr. Percival lhe disse que nunca a deixaria sair de sua vista; e ela acabou casando-se, morando perto dele, com os filhos que mais tarde teve. Não muito mais tarde, o Dr, Percival tinha de deixar a profissão médica por causa da condição dos seus olhos. Finalmente, depois de uma operação, ficou sabendo que dentro de uma quinzena ficaria totalmente cego. Teve de esforçar-se por formar um quadro mental da filha e dos netos através do tato com as pontas dos dedos.

Dr. Percival percebeu que, assim como ele proibira a filha de sair das vistas dele para ela servir a Deus, o próprio Deus acabara tirando-a das vistas dele. Foi um homem que aceitara a propiciação de Cristo, mas não o padrão de dedicação. Fez um apelo para os pais de famílias nunca sonegarem a Deus os filhos que Ele chama para o seu serviço.

8

O Salmo do Pastor

Texto: Salmo 23

Introdução

Há um tema em comum nos Salmos 22, 23 e 24; são os salmos da cruz, do cajado e da coroa. O Salmo 22 descreve o Salvador crucificado; o Salmo 23, o Pastor das ovelhas já ressuscitado (Mt 26.31; Hb 13.20), levando seu povo às pastagens espirituais; o Salmo 24, o Senhor ressuscitado ao entrar no céu entre as aclamações das hostes celestiais.

O Salmo 23 é, sem dúvida, o mais conhecido e mais querido de todos os salmos. Nenhum outro salmo toca tão profundamente em nossas emoções. Fala da paz e serenidade tão profundas, que nem sequer a ameaça da sombra da morte pode perturbá-las. Aqui não há lugar para dúvidas, preocupações, medo e ansiedade. Não é de se admirar que esse salmo é citado para tranqüilizar as almas tanto dos vivos como daqueles que estão morrendo. Há nesse cântico sublime o inspirado conceito da confiança nos cuidados que Deus nos dedica, ilustrado pelo relacionamento entre o pastor e as ovelhas. Além desta ilustração principal, há também a que descreve o Senhor como guia do seu povo, e como hospedeiro dos seus fiéis. Teremos, portanto, três cenas para contemplar em nosso estudo: O pastor e as ovelhas; o guia e o viajante; o Hospedeiro e o hóspede.

I - O Pastor e as Ovelhas

O pastor governa, guia, alimenta e protege as ovelhas; as ovelhas seguem, obedecem, amam e confiam no pastor. Aqueles que seguem o Pastor Divino recebem:

1. Suprimentos. "Nada me faltará". O futuro do verbo descreve não somente uma experiência atual como também uma certeza firme quanto a tudo que pode acontecer no decorrer da vida. Davi fala baseado em todas as experiências que já teve ao andar cuidando das suas próprias ovelhas. Assim como ele já vigiara seus rebanhos, cuidando das suas ovelhas, achava que Deus também cuidaria dele, suprindo as suas necessidades e vigiando por ele.

2. Repouso. "Ele me faz repousar em pastos verdejantes" - são *oásis* no meio de terra deserta, locais onde pessoas fixam moradia para fazer um sítio. Ovelhas se recusam a deitar-se quando estão com fome - e isto dá uma boa idéia aos pastores e aos professores da escola dominical, quando a congregação ou a classe é irriquieta - é só alimentar os ouvintes com a Palavra de Deus. "Apascenta as minhas ovelhas".

3. Descanso. "Leva-me para junto das águas de descanso". Os pastores do oriente não "tocam" o rebanho - vão na frente e as ovelhas vêm o seguindo (ver Ap 7.16,17).

4. Refrigério. "Refrigera-me a alma", revivificando-a e dando-lhe novo vigor quando está cansada e esgotada. Com comida, água fresca e descanso, o Senhor restaura nossas capacidades enfraquecidas. Ele pode transformar a espiritualidade que tropeça em ondas de poder avivado.

II - O Guia e o Viajante

Aqueles que seguem o Senhor recebem:

1. Orientação. "Guia-me pelas veredas da justiça". São caminhos retos e certos, e não vias tortuosas e perversas. "Por amor do seu nome", ou seja, não pelos meus merecimentos, mas pela sua própria bondade, para a manifestação da sua própria glória e para o progresso da sua causa entre os homens.

O repouso, o descanso e o refrigério têm o propósito de preparar as pessoas para fazer mais esforços, e lá vão as ovelhas outra vez, saindo do curral para viajar, apesar do calor e da poeira. Há uma diferença entre descansar para recuperar as forças, e a condição inativa do preguiçoso que acaba enferrujando.

2. Confiança. "Ainda que eu ande pelo vale da sombra da morte, não temerei mal nenhum". Este vale é bem diferente dos caminhos de paz, justiça e quietude. As terras montanhosas de Judá contêm muitos vales escuros onde animais selvagens traiçoeiros ficam de espreita, e servem de ilustração para fazer o homem ter uma idéia do escuro vale da morte por onde terá de passar.

3. Proteção. "Porque tu estás comigo". "Tu", o mesmo Deus misericordioso que acompanha o crente quando o leva a pastos verdes e às águas de descanso. "A tua vara e o teu cajado me consolam". A vara "consola" no sentido de forçar os inimigos, tais como lobos e leões, a sairem em retirada. E o cajado "consola" porque é usado para direcionar a ovelha no meio dos obstáculos e até para retirá-la dalgum buraco ou despenhadeiro em que caiu. Garantem segurança e acalmam os temores. O mesmo instrumento tem o emprego duplo, representado pelas duas palavras diferentes.

III - O Hospedeiro e o Hóspede

Na casa de Deus oferecem-se:

1. Sustento. "Preparas-me uma mesa na presença dos adversários". Deus é muito mais do que um pastor que cuida das necessidades das ovelhas. É também um Rei que revela a riqueza da sua bondade ao providenciar grande abundância para os hóspedes (ver Mt 22.1,2). "Preparar uma mesa" era a expressão comum que significava providenciar uma refeição. "Na presença dos meus adversários", que ficam olhando com ódio mal disfarçado, mas que nenhum dano podem causar.

2. *Honra.* "Unges-me a cabeça com óleo" - uma honra concedida aos hóspedes num banquete oriental.

3. *Alegria.* "O meu cálice transborda" - com gozo indizível e cheio de glória.

4. *Atendimento.* O Hospedeiro divino chama dois dos seus servos para atender às necessidades dos hóspedes. Seus nomes são bondade e misericórdia, que seguem o filho de Deus por onde quer que ele anda.

5. *Permanência.* "E habitarei na casa do Senhor para todo o sempre" (ver Sl 27.4). Uma das glórias da vida no céu é sua eterna permanência; o que estraga os maiores prazeres do mundo é o fato de sabermos que forçosamente terão de findar. Estas palavras, além de se referirem à eterna habitação com Deus, também se aplicam ao nosso desejo de regularmente estarmos presentes aos cultos na casa de Deus na terra. Quem não tem prazer na comunhão com Deus na terra, juntamente com os santos que vemos, não é muito sincero quando fala na futura comunhão com Deus no céu, com os santos em glória.

IV - Ensinamentos Práticos

1. *As ovelhas do Senhor.* Os cuidados dedicados por Deus, às suas criaturas de modo geral, se manifestam na natureza (Mt 5.45; At 14.17); seus especiais cuidados para com os seus fiéis se manifestam na sua graça. Os que pertencem a Deus de modo especial são chamados suas "ovelhas". Ninguém pode se considerar ovelha do Senhor se a sua natureza não foi renovada mediante a conversão, pois

a descrição, que a Bíblia dá de homens não convertidos, compara-os com lobos ou bodes, e não a ovelhas. A ovelha pertence a alguém, não é um animal selvagem; seu dono lhe dá muito valor, e freqüentemente o preço de compra é muito elevado. É importante termos a mesma certeza de Davi, de que somos do Senhor.

"O Senhor é o meu pastor", disse Davi. Ele tinha a certeza, conhecimento além da possibilidade de dúvidas ou argumentos. Leia 1 João, capítulo 5, e veja quantas vezes aparece a palavra "'sabemos".

2. "Nada me faltará". O medo de vir a passar necessidade é um dos inimigos da alma que mais preocupação e perturbação causa. As pessoas tendem a temer que virão a sofrer falta dalguma coisa que consideram vital para os seus interesses. A comunhão com Deus expulsa do coração todos os temores deste tipo. Deus supre todas as necessidades: toda a necessária orientação, todo o companheirismo abençoado, toda a segurança, toda a consolação na tristeza. Não nos faltará proteção, porque o próprio Deus nos protegerá. Não nos faltará condições para entrar no céu, porque Ele mesmo nos purificará de todo o pecado. Não nos faltará a graça para perseverar até ao fim, porque Ele não nos deixará tropeçar.

3. A espiritualidade equilibrada. Há dois lados na vida espiritual: o lado passivo, que consiste em esperar em Deus e receber a sua graça; e o lado ativo, que consiste em sair para o serviço ativo. O primeiro lado se expressa nas palavras: "Ele me faz repousar em pastos verdejantes", e o segundo é referido na expressão: "Leva-me para junto das águas de descanso". O cristão não somente se acomoda para receber a alimentação como também vai viajando em busca da perfeição espiritual. Alguns consideram que a vida espiritual consiste apenas em preguiçosamente espairar-se na luz da graça divina, "bronzeando-se" nos raios celestiais; outros imaginam que o segredo da espiritualidade é dedicar-se a atividades febris em prol da causa cristã. Estes são extremos que o cristão sábio evitará; a sabedoria espiritual nos ensina a conservar o equilíbrio entre os dois lados.

4. Andando pelos caminhos de Deus. "Guia-me pelas veredas da justiça". Nota-se a forma do plural. Existem muitos deveres para o crente, e não podemos apenas escolher os caminhos agradáveis e evitar os difíceis. Alguns têm prazer em serem levados pelas veredas do perdão, mas não se apressam para entrar nas veredas da santidade. Alguns entram com grande alegria na vereda do batismo no Espírito Santo, para depois não querer seguir pelo caminho da virtude prática. Nós, porém, devemos andar por todos os caminhos que nos conservam na companhia de Deus.

5. "Guia-me". Consideremos as várias maneiras pelas quais Deus guia o seu rebanho:

a) guia-me para o descanso. "Ele me faz repousar". O salmo coloca o descanso e o refrigério em primeiro lugar, sendo este aspecto a característica mais marcante dos cuidados que Deus dispensa aos homens. E assim é necessário. Quando alguém sente o fardo do pecado e o peso das preocupações e a dureza dos caminhos da vida, a primeira coisa de que precisa é descanso, alívio (ver Mt 9.36; 11.28);

b) guia-o para o trabalho. "Guia-me pelas veredas da justiça". O descanso é o meio para atingir uma finalidade - equipar-nos para o trabalho. Da mesma forma, o descanso espiritual tem a finalidade de preparar a alma para os labores da vida cristã. O fato de estarmos assentados em lugares celestiais não nos isenta do dever de sermos uma bênção em lugares na terra. Nossa comunhão com Deus não nos inutiliza para a vida na terra - pelo contrário, inspira e abençoa todo o nosso convívio com nosso próximo;

c) guia-nos através das tristezas. "O vale da sombra da morte" não se refere apenas à aproximação da morte; as trevas mortais nos ameaçam no meio de várias experiências angustiosas. Ninguém fica isento de atravessar certas ravinas escuras de tempos em tempos. O salmista, Davi, reconhece que as aflições e tristezas acompanham a vida cristã juntamente com as bênçãos oriundas de Deus. O coração do cristão, no entanto, se fortalece com a convicção de que, quando chegam as tristezas, nenhum dano nos poderá tocar, porque Deus estará ao nosso lado no meio de todas elas, e com a convicção de que a mesma Mão que nos guiou até ao vale escuro, nos orientará através dele e nos levará até a saída. A vida do crente é assim: "O qual, passando pelo vale árido, faz dele um manancial" (Sl 84.6).

6. Os hóspedes do Senhor. "Preparas-me uma mesa na presença dos meus adversários". Estas palavras nos fazem pensar numa cena típica do deserto. Um fugitivo, ofegante de calor, está correndo para salvar a sua vida, perseguido por inimigos sedentos por vingança. Finalmente consegue chegar a tocar na corda de uma tenda beduína, moradia de um membro das tribos do deserto, e agora consta como hóspede e está em segurança. É assim a lei da hospitalidade do deserto. Fazer mal a um hóspede é considerado sinal da mais profunda depravação; permitir que o hóspede sofra qualquer dano é considerado grave falta no cumprimento do dever.

Consideremos o significado espiritual de tudo isto. A alma anda fugitiva pelas planícies do tempo. É perseguida por inimigos que perturbam a sua paz e ameaçam a sua destruição - inimigos tais como o pecado, a tentação, a culpa, o mundo, a carne, o diabo e a morte. Refugia-se no Senhor, e acha segurança e proteção, como hóspede dEle. Os inimigos ficam do lado de fora, zangados e gesticulando ameaças, enquanto a alma resgatada fica em profunda comunhão com Deus. Todos que somos salvos somos hóspedes de Deus, e moraremos com Ele para sempre.

7. A taça que transborda. "O meu cálice transborda". O salmista não somente tinha bastante - tinha mais do que o suficiente. E por que nosso cálice transborda? Porque, como crentes em Cristo, temos nEle todas as coisas. Se Ele é a nossa herança, e se temos contentamento espiritual em nossa alma, então somos muito ricos, ainda que não possuamos grandes quantidades dos bens deste mundo. Alguém pode ser muitíssimo rico aqui na terra, mas se é insatisfeito e não possui paz, seu cálice não pode transbordar: está rachado e fica vazando.

Por que o Senhor faz nosso cálice transbordar com mais do que o suficiente? É para deixarmos outras pessoas beberem também. As chuvas que caem nas mais altas montanhas também vão correndo para baixo a fim de dar refrigério aos vales profundos. Jesus ensinou que aqueles que recebem o Espírito Santo devem vir a ser centros de vida espiritual para as pessoas em seu derredor (Jo 4.14; 7.38).

É uma atividade muito sem graça procurar apenas aquela suficiência de religião para ir agüentando a vida - em matéria de pregação cristã, ensino cristão e vida cristã, é o transbordar da espiritualidade que derrama bênçãos sobre outras pessoas. "Enchei-vos do Espírito".

8. Nossos dois fiéis acompanhantes. "Bondade e misericórdia certamente me seguirão todos os dias da minha vida". Estes dois anjos da guarda trabalham juntos: a bondade supre as nossas necessidades, e a misericórdia apaga as nossas transgressões e falhas. Ficam em atendimento durante todos os dias da nossa vida - os dias escuros bem como os dias de sol; os dias de jejum bem como os dias de festa; os frios dias do inverno bem como os dias de verão.

Um cartomante se ofereceu para ler a sorte de certo homem piedoso, mas este respondeu: "A minha sorte já foi pronunciada e profetizada: 'Bondade e misericórdia certamente me seguirão todos os dias da minha vida; e habitarei na casa do Senhor para todo o sempre'".

9. "Não temerei mal algum". Vivemos num mundo cheio de temores, medo do desemprego, medo dalguma revolução, medo de mudanças políticas, medo da estagnação do comércio e da indústria. O resultado é o grande aumento de esgotamentos nervosos, derrames e confusão em toda parte. Os efeitos danosos do medo são bem conhecidos; o medo envenena o pensamento, impede o são juízo, e paralisa as ações. Como teremos a vitória sobre os falsos temores? Vejamos as seguintes sequências:

a) devemos cultivar o temor correto. O medo é uma bênção quando nos leva a buscar refúgio dum perigo real. Cristo nos ensinou que existem certas coisas que devemos temer e evitar: a hipocrisia (Mt 16.6); a cobiça (Lc 12.15), e a blasfêmia contra o Espírito Santo (Mt 12.31). Acima de tudo, ensinou os homens a temerem a Deus (Mt 10.28). Uma geração sentimental não acha atraente a pregação que tem como tema o juízo divino; deseja que a religião se centralize em redor do pensamento de que Deus é amor. A verdade é que Deus é amor e justiça, por isso o seu universo inteiro é regido por leis imutáveis. E, embora nada tenhamos a temer enquanto obedecemos à sua vontade, ninguém conseguiu quebrar as leis de Deus impunemente. Se tivéssemos mais temor a Deus, teríamos menos medo dos homens;

b) devemos reconhecer quais são os falsos temores. Cristo nos ensinou a não temer os seguintes males: a perseguição (Mt 10.28), a falta de atendimento da parte de Deus (Mt 10.31), enfrentar processo por causa da nossa fidelidade a Ele (Mt 10.19), a falta das coisas necessárias em nossa vida (Mt 6.31), e a perda da salvação (Lc 12.32);

c) devemos tomar medidas firmes para expulsar o medo. Enfrente os seus temores e examine-os, lembrando-se de que a maioria dos temores, como a maioria das preocupações, não têm razão de ser. Conte todos os seus temores a Deus em oração, "E a paz de Deus, que excede todo o entendimento, guardará os vossos corações e as vossas mentes em Cristo Jesus" (Fp 4.6,7). E, finalmente, devemos sempre contar com a realidade da presença do Senhor em nossa vida. "Não temerei mal nenhum, porque tu estás comigo". Tenha mais confiança na graça e na misericórdia de Deus, e não considere dignos de confiança seus próprios temores e fraquezas.

10. A vara de Deus. "A tua vara e o teu cajado me consolam". O cajado do pastor de ovelhas tinha três finalidades:

a) contar as ovelhas - neste sentido, as ovelhas "passam debaixo da vara do pastor" (Lv 27.32). Quando Davi fala da consolação que ele recebe, diz: "Embora enfrento perigos por causa de homens ímpios, sei que não fui esquecido por Deus, porque assim como o pastor conhece suas ovelhas, uma por uma, assim também Deus cuida de mim";

b) cutucar as ovelhas que são lentas em sua disposição para seguir o pastor. Quando nosso modo de seguir ao Senhor se torna frio e formal, Ele pode permitir que alguma experiência humilhante ou dolorosa sirva como aguilhão para despertar o nosso zelo;

c) arrancar de volta para o aprisco ovelhas desgarradas que entraram em locais perigosos. Na Palestina, o pastor pode até quebrar a perna de uma ovelha tendenciosa a desgarrar-se sistematicamente, não de raiva e crueldade, mas para o próprio bem dela. Esta dolorosa experiência invariavelmente cura a ovelha das suas inclinações à desobediência. Assim também Deus pode nos mandar disciplinas dolorosas para nos trazer de volta dos caminhos do pecado.

9

O Cântico de Davi no Exílio

Texto: Salmo 34

Introdução

O título deste salmo descreve as circunstâncias que Davi estava passando: ele já estava fugindo de Saul, e quis se refugiar com o rei Abimeleque, mas de lá também tinha de escapar (1 Sm 21.11-15; 22.1). Os vv. 4 e 6 fazem alusão ao perigo que Davi passou em Gate; o v. 7 descreve o acampamento perto de Adulão, onde Davi sentia a proteção do Anjo do Senhor. Os vv. 11-14 talvez sejam uma recordação da proclamação que Davi fez aos seus homens, descrevendo os princípios que regeriam o arraial deles.

O pensamento principal deste Salmo é o cuidado de Deus para com os seus fiéis, os "santos" ou "justos". Este pensamento é apresentado do ponto de vista devocional (vv. 1-10) e da doutrina (vv. 11-22).

I - O Cântico de Gratidão (vv. 1-10)

1. O louvor de Davi. O que Davi propõe é belo na sua declaração todavia difícil na prática: "Bendirei o Senhor em todo o tempo, o seu louvor estará sempre nos meus lábios". É fácil louvar ao Senhor quando as coisas nos vão bem, mas será que sabemos louvar em momentos de adversidade, quando não há outros para nos encorajar a cantar assim? É só depois de aprender o louvor que liberta no meio das aflições que podemos convocar outros a transformar nosso solo num grande coral (vv. 2,3).

2. O testemunho de Davi (vv. 4-7). O tema deste testemunho é: Deus cumpriu a parte dEle, e eu cumpri a minha. Eu busquei, e Ele livrou (v. 4). Olhei para Ele, e Ele iluminou o meu rosto (v. 5). Clamei, e Ele me livrou das tribulações (v. 6). Reverenciei a Ele, e Ele mandou seu anjo para me guardar (v. 7).

3. A exortação de Davi (vv. 8-10). Davi dera um testemunho maravilhoso e agora, para os que talvez duvidem deste testemunho, lança o seguinte desafio espiritual: "Oh! provai, e vede que o Senhor é bom". Isto significa fazer um teste da experiência com Deus. Confie nEle (v. 8), tema a Ele (v. 9), e busque-o, e "bem nenhum lhes faltará". Pode ser que Davi já vira leões à espreita perto do seu arraial em Adulão, e que sentia, nos rugidos deles, o clamor da alma que tenta em vão achar satisfação pelos seus próprios esforços.

O leão, muitas vezes, tem de passar fome por longos períodos, e mesmo quando conseguir apanhar uma presa, tem de guerrear contra outros animais para poder ir comendo sua vítima. Os uivos dos animais da floresta inspiram ainda mais tristeza do que terror. Os leões, embora sejam chamados "reis da floresta", apresentam para aqueles que têm a oportunidade de observá-los, um quadro de cachorros famintos, andando desesperadamente à procura da próxima refeição. Sofrem os efeitos de terríveis doenças causadas pela irregularidade da sua dieta, e as marcas profundas de violentas lutas com outros animais. Se vivem muito tempo, embotam-se-lhes as garras e os dentes, e assim vão morrendo de fome por falta de capacidade para caçar.

II - Um Discurso Sobre a Retidão (vv. 11-22)

O cenário para esta divisão do salmo é uma reunião, no arraial, ao redor da caverna de Adulão. Podemos imaginar o grupo ao redor de Davi, que está cantando este salmo, homens um pouco grosseiros e precisando de ser controlados, mas muito leais ao seu líder, o futuro rei. Davi, ao anunciar as regras do acampamento, delinea os grandes princípios daquela moralidade que é a manifestação entre os homens do "temor de Deus". Na linguagem simples deste salmo vemos a conexão entre a religião e a moral.

1. Assunto. "Vinde, filhos, e escutai-me; eu vos ensinarei o temor do Senhor" (ver também Pv 4.1; 8.32; 1 Jo 2.1,18; 3.18). "O temor do Senhor" significa a natureza da verdadeira religião. É reverência para com Deus, e a expressão, no Antigo Testamento, é o equivalente daquilo que se chama "religião". Este temor a Deus é o piedoso temor de ofender a Deus, e não medo servil de receber castigos. É o respeito de um filho, e não o terror sentido por um escravo.

2. A introdução. "Quem é o homem que ama a vida?" Você deseja a verdadeira felicidade? Então, Davi vai lhe mostrar o caminho. "E quer longevidade para ver o bem?" A existência por si só não é vida. A vida que vale a pena tem de conter uma boa dose de bem, virtude e felicidade.

3. O sermão. A língua e os lábios (v. 13), os pés ("aparta-te do mal"), as mãos ("pratica o que é bom"), os olhos ("procuram a paz"), e a totalidade do nosso ser deve pôr em prática diária "o temor do Senhor". Nossa atitude determina a atitude de Deus. Os justos têm o privilégio de captar o olhar do Senhor e de ter acesso aos seus ouvidos (v. 15), e os ímpios padecem a ausência da graciosa presença de Deus (v. 16). Isto não quer dizer, porém, que os justos estão isentos de passar por sofrimentos: "Muitas são as aflições do justo, mas o Senhor de todas o livra" (v. 19); isto acontece quando clamam a Ele em oração (v. 17).

"Perto está o Senhor dos que têm o coração quebrantado, e salva os de espírito oprimido" (ver Sl 51.17; 147.3; Is 57.15; 66.2). O arrependimento, com a alma contrita, é condição prévia da libertação. O homem se humilha a si mesmo, e Deus o levanta. Deus não quebra com a vara do juízo aqueles que já sentem as dores da vara da convicção. Julgando-nos a nós mesmos, não seremos julgados (1 Co 11.31).

"Preserva-lhe todos os ossos, nem um deles sequer será quebrado". A palavra "ossos" representa também o corpo físico, a totalidade do conjunto ósseo do homem. Deus zela pelos justos, preservando sua personalidade total dos danos, não permitindo que passam por nenhum sofrimento a não ser as provações necessárias para o aprofundamento da sua fé. A experiência de Davi também foi a de Cristo, de maneira muito mais maravilhosa e milagrosa (Jo 19.36). Pode ser que Davi também tivesse em mente o sacrifício do cordeiro da Páscoa (Êx 12.46), considerando o cordeiro um símbolo de inocência e pureza.

4. A conclusão (vv. 21,22). "O infortúnio matará o ímpio". O pecado contém, dentro de si mesmo, a semente que brotará e crescerá até produzir o castigo. Cometer o mal é também sofrer o mal. Cada pecado é mais um fio na corda que o pecador finalmente verá colocada ao redor do seu próprio pescoço. O pecado traz consigo a culpa, e a culpa provoca a retribuição. "E os que odeiam o justo serão condenados".

"O Senhor resgata a alma dos seus servos, e dos que nele confiam, nenhum será condenado". O homem pode ir estragando a sua própria alma, mas é somente Deus quem pode a resgatar do juízo. Aqueles que Deus redimiu também justifica, e salva de toda a condenação. Os redimidos já passaram da morte para a vida (Jo 5.4; Rm 8.1,33,34).

III - Ensinamentos Práticos

1. Louvor perpétuo. "Bendirei o Senhor em todo o tempo" (v. 1). Davi tem razão em fazer esta declaração como uma resolução firme, uma decisão que solenemente assume, porque ele sabe que surgem ocasiões em que não é fácil realmente louvar a Deus. Reconhecia o louvor perpétuo como a única atitude consistente com aquele que alega amar ao Senhor. Louvar a Deus quando tudo vai bem, e ser omisso no louvor quando estamos passando por provações, daria vazão à zombaria de Satanás: "Porventura Jó debalde teme a Deus?" Billy Bray, evangelista inglês, disse que mesmo se ele fosse trancado num barril, gritaria "aleluia!" pelo buraco de saída! É este o ideal do Novo Testamento - louvor ininterrupto a Deus, confiança e alegria no Senhor.

2. A oração do aflito. No v. 6 temos a história de um homem pobre e aflito. A herança deste pobre consistia apenas em "aflições". Mesmo assim, ele tem um amigo sobre quem pode lançar todos os seus cuidados, e este amigo é o Senhor. E o pobre tem meios de viajar para chegar até ao amigo: é só clamar a Ele! Seu clamor é breve, amargo, com sentido, singelo e sincero. É a oração que transborda da alma sobrecarregada. Finalmente, a história conta a salvação deste pobre aflito: "O Senhor o ouviu e o livrou de todas as suas tribulações". É esta a história da aflição, oração e preservação daquele homem, e pode ser a nossa história também.

3. A experiência testa a verdade da religião. "Oh! provai, e vede que o Senhor é bom". Já é bem conhecida a história do pastor que, depois de ouvir o discurso contra a fé cristã proferido por um ateu, desafiou-o a descrever o gosto de uma laranja que nunca provou. Ninguém pode debater a fé cristã se não passou pela experiência da conversão, recebendo a salvação mediante a fé. O teste mais alto da verdade espiritual é a experiência, porque a pessoa sabe, de modo além dos argumentos, aquilo que experimentou na realidade.

4. *Conservamos as bênçãos por meio de distribuí-las aos outros.* Um bom teste de profundidade da experiência religiosa de qualquer pessoa é seu impulso para levar outros a beberem da fonte que satisfez a sua sede espiritual. Davi, tendo provado a bondade do Senhor, sente-se constrangido a contar aos outros as bênçãos recebidas.

Numa das reuniões de avivamento de Moody, em Chicago, foi convertido um jovem imigrante estrangeiro. Depois da reunião, o imigrante veio a Moody, querendo saber qual serviço podia prestar por amor a Jesus. Moody olhou para o jovem desajeitado e analfabeto, e finalmente perguntou-o se aceitaria o serviço de propagandista sanduíche. Sem entender o que era isso, o jovem aceitou, dizendo: "Farei qualquer coisa por amor a Jesus". Recebeu, então, duas tábuas para carregar, uma pendurada na sua frente, com as palavras de João 3.16 impressas em letras grandes, e outra pendurada atrás dele, anunciando as reuniões de evangelismo, com o horário e o local. Moody falou ao jovem: "Agora, vai andando pelas ruas, fazendo propaganda das reuniões". O jovem foi andando, tão feliz por poder fazer algo em prol da causa do seu Salvador. Enquanto andava assim, com moços o perseguindo, jogando pedras e lama, um viajante parou para ler o aviso e olhar o jovem tão feliz, e o resultado foi sua ida até a reunião naquela noite, que lhe garantiu a salvação.

5. *Os leões passam fome, os justos são satisfeitos.* "Os leõezinhos sofrem necessidade e passam fome, porém aos que buscam o Senhor bem nenhum lhes faltará". Davi conhecia a vida dos leões que havia na Palestina nos tempos dele; até lutara com alguns deles, e conhecia seus hábitos. Os animais de presa sempre andam magros, e são os que se alimentam das pastagens que estão bem alimentados e em boas condições.

Davi vê nos leões uma representação dos homens mundanos que lutam violentamente para obter as riquezas e os prazeres que tanto cobiçam, mas que acabam fracassando e "sofrem necessidade". Muitos têm procurado chegar ao sucesso mediante meios desonestos e indignos, mas acabaram recuando em vergonhosa derrota e decepção. Mesmo aqueles que conseguiram aquilo que o mundo chama de sucesso, ficaram profundamente desapontados pelo caminho à fama. Enojados com o egoísmo e o vazio existente em tudo isso, chegaram a reconhecer que é "Vaidade de vaidades... tudo é vaidade e enfado de espírito". No começo da carreira desses homens, imaginavam que o poder e as riquezas seriam objetivos dignos da sua dedicação total, no entanto, chegando a velhice, perceberam que passaram a sua vida alimentando-se de cinzas. Quão verídico é o ensino de Salomão: "Quem ama o dinheiro, jamais dele se farta; e quem ama a abundância nunca se farta da renda!" (Ec 5.10).

A experiência do povo de Deus forma um contraste feliz com este tipo de vida mundana. "Porém aos que buscam o Senhor bem nenhum lhes faltará". A palavra "buscar", neste contexto, não significa que Deus está se escondendo de nós - a verdade é que Ele está sempre nos procurando para nos oferecer bênçãos, e "buscar" a Ele significa desejar ardentemente as coisas que Ele nos prometeu. Quando o olho se abre, entra a luz; quando os pulmões se dilatam, entra o ar; quando o coração se abre, entra o Senhor. Poderemos receber de Deus aquele tanto que estamos dispostos a aceitar.

Alguém poderia ganhar todo o dinheiro no mundo e ainda se sentir insatisfeito e infeliz. As coisas, que existem, somente podem nos dar algum prazer na medida em que Deus vem junto com elas, visto que somente aquEle que criou a alma pode satisfazer a alma.

6. Ensinando as crianças. "Vinde, filhos, e escutai-me; eu vos ensinarei o temor do Senhor". Estas palavras nos oferecem um encorajamento quanto a ensinar a Palavra de Deus às crianças, no lar e na escola.

• Mencionamos o lar em primeiro lugar, porque o lar é a primeira escola da criança. É no lar onde a criança deve receber suas primeiras lições na Palavra, e em assuntos de oração e de virtude. Certo jornal de Nova Iorque publicou a notícia de que entre as milhares de crianças chinesas, naquela grande cidade (em 1940, antes de o comunismo desmoralizar a vida da antiga civilização chinesa), só surgiram dois casos de delinqüência juvenil. Professores chineses questionados pelos repórteres explicaram que a razão desta baixa cifra de delinqüência se deve a um antigo preceito clássico: "A má conduta da criança é culpa exclusiva dos pais". Cada criança chinesa aprendia que seu mau comportamento em público trazia desonra e vergonha para os pais, e, entre eles, sofrer desonra é a maior de todas as desgraças!

• A Escola Dominical. O grande estadista britânico David Lloyd George disse: "Tudo quanto sou, e tudo quanto consegui fazer, devo-o à Escola Dominical". Inúmeros testemunhos semelhantes poderiam ser colhidos de juízes e outros oficiais, mostrando a conexão entre o treinamento moral e religioso na Escola Dominical e a prevenção de crimes. W. W. Canfield, redator chefe de um jornal diário, numa grande cidade, disse que seus contatos profissionais com milhares de pessoas levaram-no a perceber que são as crianças que vão à Escola Dominical que mais tarde se transformam em homens e mulheres melhores, em moral e civismo, do que as que não tiveram esta vantagem. Acrescentou que, como superintendente de Escolas Dominicais durante dez anos, observou que as crianças que prestaram mais atenção às lições bíblicas foram as que mais tarde souberam viver a vida da maneira mais nobre e útil.

Há três instituições fundamentais fortemente influenciadoras do bem no caráter da criança que se desenvolve: o lar, a igreja e a escola. Todas as três devem cooperar para treinar as crianças a ser futuros bons cidadãos, tementes a Deus. A influência mais profunda e duradoura é aquela vinda do lar cristão.

7. A santidade é o caminho para a felicidade. "Quem é o homem que ama a vida e quer logevidade para ver o bem?" Por certo, todos desejam uma vida feliz assim, mas, infelizmente, nem todos palmilham a estrada que leva à felicidade. O caminho é simples para se seguir: refrear a língua, abandonar a prática do mal, fazer o bem, procurar a paz e segui-la. Noutras palavras, procurar o caminho da santidade.

Todos querem ser felizes, mas poucas pessoas querem ser santas. No entanto, a santificação é o *único* caminho para a felicidade. O caminho dos transgressores é tão duro. Esta lição já foi ensinada no início da história humana, quando Deus avisou aos nossos primeiros pais que a felicidade deles dependia da obediência às suas leis. A serpente, porém, com fingida sabedoria, deu a entender ao casal que Deus estava lesando-os, roubando deles a felicidade que lhes pertenceria se não lhes fosse proibido comer da árvore do conhecimento do bem e do mal. E quando preferiram prestar atenção a Satanás e não a Deus, o Éden foi perdido para eles. Deus deseja a felicidade das suas criaturas, e é este o propósito principal das suas leis; é o pequeno que causa a maioria das infelicidades deste mundo.

8. Refreando a língua. "Refreia a tua língua do mal, e os teus lábios de falarem dolorosamente". Há várias maneiras de pecar com a língua. 1) O exagero; 2) a falta de sinceridade; 3) palavras podem ser maliciosas, tanto quando falamos mentiras contra uma pessoa, como quando falamos a verdade contra ela com o propósito de lesá-la; 4) palavras podem ser profanas, quando o nome de Deus é tomado em vão como tipo de expressão para demonstrar surpresa ou desgosto. Nossas palavras devem ser temperadas com o sal (Cl 4.6), e não com pimenta vermelha!

Teremos mais cuidado com aquilo que falamos, quando nos lembramos de que nada poderá trazer de volta uma palavra falada num súbito impulso de ira. Muitos de nós podemos olhar para o passado e pensar: "Como eu gostaria de nunca ter falado aquilo!" Certamente devemos arrepender-nos por palavras erradas faladas por nós, mas quem é sábio aprenderá a refrear-se *antes* de começar a falar algo ao invés de ter de se arrepender *depois,* quando seria tarde demais.

A melhor maneira de controlar a língua é controlar o poder que faz a língua funcionar - o coração. "A boca fala do que está cheio o coração". O coração, para ser controlado, precisa ser entregue ao domínio de Cristo.

9. A religião positiva. A religião vital começa com a renúncia a toda a prática do mal, mas não pára aí. Depois de obedecer ao mandamento: "Aparta-te do mal", o cristão recebe outro: "E pratica o que é bom". É possível ficarmos satisfeitos com uma religião meramente negativa, contentando-nos com a simples ausência em nossas vidas dos grandes vícios. Precisamos, porém, ter virtudes operantes e ativas, e uma boa maneira de evitar o mal é através da prática do bem. Se um sitiante não trabalha, não danifica a propriedade, mas também não produz nada, se não cultiva a terra.

10. A caça real. Para os que gostam da caça, eis algo que vale a pena correr atrás para caçar: "Procura a paz, e empenha-te por alcançá-la". A caça a ser procurada é a paz - paz com Deus, paz com o nosso próximo e paz com o nosso próprio coração. Sem dúvida, há obstáculos nesta caçada, como, por exemplo, o orgulho que não nos permite dar razão ao nosso próximo, e o egoísmo que nos leva a exigir as nossas reivindicações. A graça de Deus, no entanto, pode nos levantar por cima dos obstáculos, para continuarmos a corrida atrás da paz. Há um rico galardão que aguarda aqueles que escolham a paz como alvo da sua vida: "Bem-aventurados os pacificadores, porque serão chamados filhos de Deus".

10

O Cântico de Confiança de Davi

Texto: Salmo 37

Introdução

É um ensino fundamental do Antigo Testamento que Deus abençoa os justos e castiga os ímpios. E não há dúvida de que, enquanto a nação israelita permanecia leal à Lei, os israelitas piedosos tinham uma vida de tranqüilidade, com todas as suas necessidades atendidas. A infiltração da apostasia, porém, trouxe desordem à vida nacional, e, no declínio e confusão que se seguiram, surgiram muitos casos de homens bons sofrendo aflições e de homens maus triunfando. Assim sendo, foi surgindo a pergunta: como é que os bons sofrem e os maus prosperam?

O Salmo 37 trata deste problema da providência divina, um assunto que era uma provação de fé para os israelitas tementes a Deus, e a solução é que a prosperidade dos malfeitores não durará para sempre, e que, afinal de contas, a prática do bem levará ao bem-estar. A mensagem do salmo pode ser entendida pelo que, no momento, você está vendo a prosperidade dos maus e a opressão dos fiéis. Não fique irritado por isso; faça o bem; descanse no Senhor; e espere para ver o resultado. Em breve verá que os justos vão ser trazidos à luz, e os malfeitores serão abandonados no esquecimento e à vergonha. Mesmo agora, é melhor ter Deus no coração e um pedaço de pão velho na mão, do que ter as riquezas possuídas por muitas pessoas más. Deus, no seu próprio tempo, colocará as coisas na sua devida ordem, demonstrando que honra àqueles que honram a Ele.

O salmo contém várias repetições das mesmas verdades, com formas variadas. Esta repetição e revisão é um método ideal de ensinar lições espirituais que tão facilmente esquecemos na prática. Como escreveu Paulo: "A mim não me desgosta, e é segurança para vós outros, que eu escreva as mesmas cousas" (Fp 3.1).

I - A Prosperidade Passageira dos Ímpios não Merece a Inveja dos Justos (Sl 37.1,2)

"Não te indignes por causa dos malfeitores, nem tenhas inveja dos que praticam a iniqüidade. "Indignar-se" quer dizer, literalmente, "não fique esquentado com ira", "não se atormente". A inveja é o ardor quente dos ciúmes. O versículo descreve uma emoção que queima no íntimo, acompanhada por um calor no rosto, seu sinal visível. Estas palavras nos advertem contra a inveja, a ira e qualquer emoção violenta. Fogos de ciúmes podem ser ateados quando se vê os maus vivendo com todos os confortos e conveniências enquanto muitas pessoas devotas vivem passando necessidades.

Na realidade, porém, nada há no assunto que merece a nossa preocupação. O salmista nos ensina que a prosperidade dos ímpios é de pouca duração. "Pois eles dentro em breve definharão como a relva, e murcharão como a erva verde" (Is 40.8). Para que ficar ardendo em calorosa indignação quando o fogo muitíssimo mais quente há de torrar os ímpios? A ceifeira da morte e a fornalha do juízo logo porão fim à prosperidade iníqua.

Isso não significa que devemos nos consolar com o pensamento sobre a ruína final dos malfeitores, nem nos alegrar ao contemplar as calamidades que lhes sobrevirão. O amor ensinado por Deus não nos deixa sentir júbilo por causa da destruição de qualquer pessoa que seja. O que o salmista quer dizer é o seguinte: não permita a prosperidade dos maus ser motivo para você ter menos fé na soberania de Deus, nem deixe tal coisa perturbar a sua paz de espírito, porque Deus ainda demonstrará a justiça dos seus atos, no tempo por Ele determinado. No ínterim, o povo de Deus tem de demonstrar fé e paciência.

II - As Atitudes e as Recompensas dos Justos (Sl 37.3-11)

1. Confiança. "Confia no Senhor e faze o bem; habita na terra e alimenta-te da verdade". A confiança em Deus é o remédio para toda a inveja e irritação. A fé cura esta preocupação irada. O único caminho para o crente que vive no mundo ímpio é perseverar na fé e na prática do bem. O Salmo 73 descreve um piedoso homem de Deus que quase perdeu sua vitória na vida religiosa por causa de ficar prestando atenção demasiada às outras pessoas.

A recompensa da confiança e da bondade ativa consiste em firmeza e alimentação espirituais. Estas palavras se aplicavam aos israelitas que viviam sob a promessa de bênçãos materiais vinculadas à obediência a Deus, e, com a vinda de Jesus Cristo, se aplicam ainda mais às bênçãos espirituais que acompanham os crentes fiéis.

2. Alegria. "Agrada-te no Senhor, e ele satisfará aos desejos do teu coração". Embora os maus procurem sua satisfação no mundanismo, o crente fiel deve procurar exclusivamente no Senhor a sua alegria e felicidade. Este dever tão agradável recebe, como sua recompensa, outros prazeres: "ele satisfará aos desejos do teu coração". Isto quer dizer que o próprio Deus fará com que você receba todas as coisas necessárias para a sua felicidade. É claro que o homem que realmente se deleita no Senhor nunca pedirá coisa alguma desagradável a Deus - sempre pedirá de acordo com a vontade divina. Trata-se dos verdadeiros desejos do nosso íntimo e não às pequenas vontades casuais que surgem enquanto vemos a propaganda das coisas do mundo. Muitas vezes nem sequer sabemos aquilo que realmente queremos. O salmo se refere aos desejos revelados do fundo de um coração consagrado.

3. Devoção. "Entrega o teu caminho ao Senhor, confia nele, e o mais ele fará". "Entregar" quer dizer, literalmente, "rolar sobre". É submeter ao Senhor nossa vontade e nossas decisões, fazendo tudo descansar sobre Ele para então termos confiança na sua orientação. Devemos rolar o fardo total da nossa vida sobre Ele, contando a Ele todas as nossas preocupações, submetendo a Ele todos os problemas. "E o mais ele fará". Ele atenderá de acordo com as nossas necessidades, e segundo a nossa fé. Se nosso coração tem verdadeiro prazer nEle, nossa vontade se conserva submissa diante dEle e a nossa alma tem a feliz sensação de total dependência dEle, os desertos da vida não ficarão sem caminhos para seguirmos e então o viajante ouvirá a voz que diz: "Este é o caminho; ande nele".

"Fará sobressair a tua justiça como a luz, e o teu direito como o sol ao meio-dia". Tendo em vista a prosperidade dos ímpios e as aflições dos justos, muitas pessoas podem ser tentadas a duvidarem se a prática da virtude realmente vale a pena. Mas, se não desanimarem na prática do bem, ainda ceifarão as recompensas (Gl 6.9). A promessa no v. 6 também se aplica a pessoas virtuosas que já foram vítimas de calúnias ou falsas acusações. Deus sabe vindicar aqueles que lhe pertencem.

4. Descanso. "Descansa no Senhor e espera nele; não te irrites por causa do homem que prospera em seu caminho".

"Descansar" aqui significa, literalmente, "fique em silêncio". A língua quieta demonstra uma cabeça sábia e um coração santificado. Neste mundo, sempre surgirão situações para nos deixar perplexos e preocupados. O piedoso servo de Deus, porém, aquietará o seu espírito e esperará descansado até que Deus vindique os seus caminhos.

5. Paciência. "Não te impacientes; certamente isso acabará mal". A murmuração, as queixas, a irritação e o lastimar-se não podem produzir outro resultado senão o mal. Um espírito que se deixa provocar não somente rouba nossa paz, mas pode ainda nos levar à prática dalgum ato criminoso. Muitas pessoas insatisfeitas e ofendidas já cometeram graves pecados para garantir os seus direitos. Além disso, se alguém fica sempre meditando no sucesso das ímpias tramas dos malfeitores, pode ser tentado a imitar os métodos deles.

6. Mansidão. "Os mansos herdarão a terra". É falta de bom senso irritar-nos com a prosperidade dos ímpios, quando sabemos de seu perecimento, enquanto os mansos, os que têm humilde fé em Jesus Cristo, serão os herdeiros do universo. Mesmo aqui e agora, neste mundo atual e físico, os piedosos têm o segredo da vida. Possuem as verdadeiras riquezas espirituais e, ainda, sabendo da vontade soberana de Deus em tudo que existe, sabem que Deus lhes dará qualquer coisa nesta terra necessária para a sua vida cristã. A paz de espírito é a herança dos humildes, e mesmo quando não lhes sobra muito ouro (o que, aliás, poderia arruinar sua verdadeira riqueza espiritual), podem se deleitar na abundância da paz. Quanto mais paz a pessoa tem, quanto mais gosta dela e quanto mais a deseja, tanto mais a recebe.

III - As Vantagens dos Justos (Sl 37.23-25)

Neste trecho, os judeus são comparados com os ímpios descritos nos versículos anteriores.

1. Contrastados na sua estabilidade. "O Senhor firma os passos do homem bom, e no seu caminho se compraz". Deus não somente oferece orientação geral, como também apoia e sustenta os passos de quem anda nos seus caminhos. Deus fica satisfeito quando seus fiéis adotam um modo de vida (caminho) de acordo com a sua vontade. Tudo que diz respeito à vida dos justos é do interesse do nosso Pai celestial, assim como os primeiros passos de uma criancinha dão prazer ao coração dos pais. Deus tem prazer em ver a alma caminhando em direção aos céus.

"Se cair, não ficará prostrado". O homem bom pode passar por aflições, pode até cair numa falta (Gl 6.1); se, porém, o seu coração se inclina na direção a Deus, a ruína não lhe sobrevirá. Davi descobriu a verdade desta declaração (2 Sm 11.4; cf. Mt 14.22-31).

2. Contrastados na sua posteridade. "Fui moço, e já, agora, sou velho, porém jamais vi o justo desamparado, nem a sua descendência a mendigar o pão". Spurgeon diz que, realmente, até hoje existem muitas pessoas que passam a vida inteira sem nunca verem os filhos de homens piedosos passarem fome. Mesmo assim, continua ele, teve de atender, como pastor, muitos filhos de homens de religião, que chegaram a ele como pedintes. Isto não minimiza a declaração de Davi, porque, naquela época, a prosperidade visível era a única prova diante do mundo de que alguém era agradável a Deus. Atualmente, depois da vinda de Cristo, enfatiza-se uma fé pessoal nEle muito acima da presença ou ausência de bens materiais. Que o justo nunca é desamparado por Deus é uma regra sem exceção; que algum dos seus filhos possa passar necessidades, por sua própria preguiça ou dissolução, por não ter seguido os passos do pai, é uma rara possibilidade. O oposto é normalmente a verdade. Já vi - continua Spurgeon - muitos filhos de pastores pobres tornarem-se homens ricos e importantes, de tal modo que chega-se a pensar que a melhor maneira de deixar boa herança aos filhos é ficar pobre por amor a Cristo.

IV - Ensinamentos Práticos

1. "Não te indignes". Depois de muitas experiências, a medicina chegou à conclusão de que certas emoções fortes esgotam o corpo e o cérebro mais do que os mais intensos esforços físicos e mentais, e que nove décimos da fadiga (em pessoas sadias), se devem a conflitos interiores. Certo famoso especialista em neurologia declarou que, entre todos os pacientes que ele já tivera com casos de abalamento e esgotamento nervoso, nunca achou uma só doença nervosa que se devesse à sobrecarga do serviço.

Muitas pessoas talvez acharão por demais categóricas tais declarações, mas não se pode negar que nelas há boa dose de verdade. Que a paz no coração contribui para o bem-estar físico, e que os distúrbios emocionais minam as nossas energias, é uma verdade que as Escrituras de há muito registraram. "O coração alegre é bom remédio, mas o espírito abatido faz secar os ossos" (Pv 17.22; 13.12; 14.30; 15.15).

É verdade que muitos cristãos estão sofrendo um declínio de energias físicas e espirituais por causa de sobrecargas e conflitos desnecessários no seu íntimo. Os fardos mais comuns são: preocupação, medo, ressentimento contra autoridade, indecisão, excesso de sensibilidade e mau gênio. Quando estamos tentados a ceder a emoções erradas, devemos escutar o que o salmista diz: "Não te indignes... não te irrites... não te impacientes".

2. *Preocupação.* Todos nós já sabemos quanto mal a preocupação nos causa, porém agora vamos considerar a cura. Em primeiro lugar, um pouco de meditação sadia. Se tivermos certeza de que a preocupação ajudará a situação, então, por certo, valeria a pena preocupar-nos. Mas, será que a preocupação ajuda? Em segundo lugar, podemos levar

ao Senhor todos os nossos fardos (Mt 6.19-34; Fp 4.6,7). Devemos saber distinguir entre as ansiosas preocupações e aquele interesse inteligente que estuda um assunto.

Por detrás de todas as preocupações, sempre há algum tipo de medo (Mt 8.23-27) como ilustração da causa, das conseqüências e da cura do medo. Os discípulos se esqueceram do poder possuído pelo Mestre? Entraram em pânico? E aquilo que temeram realmente lhes aconteceu?

3. Ressentimento contra autoridade. Muitas pessoas não agüentam ter alguém para mandar nelas. Certos homens se ressentem quando têm de obedecer a chefes do sexo feminino. Certas mulheres não aceitam ordens de outras mulheres. Outras mulheres têm profundo temor de terem de obedecer a algum homem. Jovens que se consideram modernos não querem receber instruções dos mais velhos, considerando-os atrasados. Quando esse ressentimento contra a autoridade vai crescendo, danifica a alma.

Qual é a cura? Lembre-se de que o serviço é o ideal da grandeza cristã, e que a submissão àqueles que estão em posição de autoridade sobre nós, por amor a Cristo, é uma virtude que fortalece a alma (1 Pe 5.5,6; Fp 2.1-11 e Jo 13.1-17).

O melhor líder é aquele que já aprendeu a obedecer.

4. Indecisão. É um conflito interior muito pesado quando temos de ficar "balanceando" entre duas decisões totalmente diferentes. O hábito que Deus nos quer ajudar a estabelecer é levar um assunto à oração, pensar sobre ele com piedosa meditação, fazer nossa decisão diante de Deus e deixá-la firme.

A indecisão em matéria de consagração a Deus é algo especialmente danificante. O esforço para servir a dois mestres forçosamente produzirá violento conflito na alma. É mais fácil carregar a nossa cruz inteira do que procurar carregar metade dela. A melhor maneira de se viver a vida cristã é vivê-la cem por cento.

5. *Sensibilidade.* Pessoas demasiadamente sensíveis facilmente se deixam levar pelas preocupações, pelo medo, pela depressão. Sofrem por causa de pequenas ofensas, imaginárias ou reais, e assim se tornam vítimas de emoções danosas. Para pessoas sensíveis às ofensas, sugerimos as seguintes curas: 1) Quando sofremos a tentação de ficarmos ofendidos, devemos olhar no espelho e rir de nós mesmos por causa das nossas atitudes mesquinhas. O Salmo 42 mostra como Davi tinha de pregar a si mesmo uma boa exortação (v. 11). Nossos deveres devem ser encarados com seriedade, mas a dignidade que é devida à nossa própria pessoa não precisa ser encarada com demasiada seriedade. 2) Devemos orar, pedindo a Deus um coração terno, amoroso e sensível com respeito às necessidades dos outros, e costas largas e insensíveis no que diz respeito à nossa própria honra, glória e vantagem. 3) Devemos ler 1 Coríntios 13 com regularidade. Certo homem leu este capítulo uma vez por semana durante três meses e disse que transformou a sua vida.

6. *Mau gênio.* Nos negócios, a maioria dos homens, independentemente de como se comportam em casa, dão um jeito de serem corteses, agradáveis, pacientes e lentos para ficar ofendidos, quanto ao seu relacionamento com estranhos no seu próprio escritório. Sabem que o mau gênio não conduz a bons negócios, e leva a perdas comerciais. Como cristãos, no entanto, devemos manter o controle próprio não somente porque a perda da paciência é inconveniente, mas também porque é má em si mesma.

Por que é má? Primeiro, porque é uma forma de egoísmo. A pessoa perde a calma e revela mau gênio quando não consegue obter aquilo que quer, quando não é tratado com a honra e respeito que acha merecer; quando alguém a contraria. Todas estas atitudes revelam egoísmo.

Além disso, o mau gênio é uma forma de fraqueza. Algumas pessoas declaram ser seu temperamento violento sinal de grande força. Orgulham-se daquele espírito "varonil" que não tolera desagrados e que não tem paciência com pessoas incompetentes. O gênio pode ser uma forma de energia da personalidade, mas o mau gênio revela a falta de controle, e é sinal de fraqueza. A mesma energia, livre de egoísmo, e dirigida contra os males praticados contra o nosso próximo, transforma-se naquela indignação justa à qual Paulo se refere quando escreve: "Irai-vos, mas não pequeis", ou seja: não haja pecado algum na sua ira.

7. Um remédio para tempos difíceis. "Confia no Senhor e faze o bem; habita na terra e alimenta-se da verdade". Esta promessa tinha um significado muito marcante há três mil anos, quando era o costume deportar populações inteiras segundo a vontade dos conquistadores vitoriosos, e quando a terra da Palestina era sujeita a fomes. Habitar na terra e ser alimentado eram coisas não facilmente obtidas. Nestes dias atuais, a promessa não é menos significativa, porque os "tempos difíceis" sempre vêm visitando a terra. Este texto declara uma cura dupla pelos tempos difíceis:

1º) "Confia no Senhor". Em Mateus 6.19-34, Jesus nos ensina ser uma grande falta nossa quando não confiamos em nosso Pai celeste, que nos ama com amor que em muito ultrapassa o do nosso pai e da nossa mãe aqui na terra. Sem dúvida, todos acham fácil confiar em Deus quando as coisas estão indo bem, porém quando as coisas vão mal, começam a duvidar, demonstrando viverem pelo que vêem, e não pela fé.

2º) "E faze o bem". Tempos de provações e perdas revelam a verdadeira varonilidade espiritual contida em nós. É quando perdemos o apoio dos confortos materiais que somos levados a depender dos nossos recursos espirituais. Em tais períodos, nossa tentação é ficarmos remoendo as nossas próprias mágoas. Bem-aventurado é o homem que sabe esquecer-se das suas próprias dificuldades ao ajudar a aliviar os fardos dos outros.

8. Desejos desregrados destroem a paz. "Agrada-te do Senhor, e ele satisfará aos desejos do teu coração". Um paciente com febre alta pode ficar virando-se de um lado para o outro na cama, procurando algum lugar menos quente, no entanto a causa do mal-estar fica na própria pessoa. Assim, de igual modo, não são as nossas circunstâncias externas que nos perturbam tanto quanto nossos desejos mal regulados. Assim como o oceano é açoitado pelos ventos até as águas ficarem espumejantes, também a alma se perturba pelas muitas vontades que entram em conflito entre si. Realmente, um só desejo não cumprido é o bastante para tirar a tranqüilidade de alguém.

Nossos desejos não controlados estragam a nossa paz, porque nos fazem depender das coisas externas. Qualquer coisa que colocamos num pedestal como condição prévia para nos sentirmos felizes pode passar a exercer domínio total sobre a nossa própria felicidade. Quando esta coisa à qual tanto nos apegamos fica em falta, nós também fracassamos e perdemos a nossa paz. Aquele que se apega a alegrias fugazes deste mundo, sempre ficará insatisfeito e decepcionado. Quanto mais acalentamos certas vontades, quanto mais vontades temos, e quanto menos satisfeitos ficamos.

Qual é a solução? Devemos tomar os nossos desejos e centralizá-los em Deus, dizendo: "Quem mais tenho eu no céu? Não há outro em quem eu me compraza na terra" (Sl 73.25). Quem deseja constante tranqüilidade espiritual não pode fixar seus desejos em qualquer coisa menos estável do que os céus, em qualquer coisa mais baixa do que as estrelas, em qualquer um menos suficiente do que o próprio Deus. Se o desejo por Deus é a paixão que domina a alma, os demais desejos passarão a ocupar seu lugar devido em nossa personalidade (Mt 6.33).

9. A vida dedicada. "Entrega o teu caminho ao Senhor, confia nele, e o mais ele fará". Aqueles que deixam nas mãos de Deus a sua orientação ao longo dos caminhos da vida, podem viajar tranqüilos. A crença comum é que esta orientação divina se deve buscar somente durante as grandes crises da vida - quando chegamos às encruzilhadas movimentadas e não sabemos em que direção caminhar. Sem dúvida alguma, precisamos de orientação naquelas horas. Mas também precisamos deixar que os pequenos incidentes de cada dia sejam submetidos à orientação divina. Afinal das contas, a vida consiste principalmente da rotina dos deveres diários e, quando você cultiva o hálito de estar aberto à orientação divina nas coisas pequenas, não deixará de procurar Deus nos grandes momentos decisivos.

Entregar nosso caminho ao Senhor é submeter a Ele a nossa consciência e as nossas decisões, confiantes de que Ele nos guiará. Isto não significa fugir do dever de paciente meditação com respeito aos nossos problemas, nem significa adotar a primeira idéia que passa por nossa cabeça. Deus não encoraja a preguiça; pelo contrário, espera que façamos uso da capacidade mental que Ele nos deu. As regras para acharmos a orientação podem ser resumidas da seguinte maneira: Faça o melhor que você puder para descobrir qual é o seu dever, deixando de lado sua própria vontade e desejo, e seja disposto a fazer a vontade de Deus. A pessoa que honestamente deseja ser guiada por Deus não sofrerá decepção.

11

O Homem cuja Língua Era Uma Navalha Afiada

Texto: Salmo 52

Introdução

Examinemos, por conseguinte, a situação a que se refere o Salmo 52 (ver 1 Sm 21.1-7; 22.9-19). Davi era um exilado, pronunciado fora da lei e expulso do país pelo decreto do ciumento rei Saul. Chegando à cidade sacerdotal do Nobe, pediu ao sumo sacerdote Aimeleque que lhe desse comida e armas. Como representante do rei, Davi recebeu o que pedira, na forma de pães de proposição do tabernáculo e a espada de Golias.

"Achava-se ali naquele dia um dos servos de Saul, detido perante o Senhor, cujo nome era Doegue, idumeu, o maioral dos pastores de Saul". Davi imediatamente discerniu o verdadeiro caráter desse homem (1 Sm 22.22), e sabia que Doegue nunca poderia ser associado com um pensamento nobre ou um ato generoso. A descrição do caráter de Doegue é a seguinte:

1. Um adorador sem coração (1 Sm 21.7). Registra-se que Doegue estava "detido perante o Senhor", ou seja, presente ali para o propósito de prestar culto. A má qualidade e a sua falta de profundidade de religião, porém, podem ser julgadas pelo seu ato de assassinar os sacerdotes. Pode ser que constava como israelita professo, mas de coração era um pagão cruel.

2. Um informador malicioso (1 Sm 22.9,10). Quando Saul estava tomado por alguma das suas crises de ciúmes loucas, acusou seus oficiais de conspirarem contra ele. Doegue, para desviar o furor do rei, fazendo com que se irasse com os sacerdotes e não com o oficiais da corte, contou o incidente havido entre Davi e o sumo sacerdote. Nesse relatório, havia evidentemente algo mais do que o desejo de se ver livre da ira do rei. Doegue deve ter sabido muito bem qual seriam as conseqüências da fúria e da inveja do rei contra os sacerdotes. Era um delator, e com os motivos mais baixos e indignos.

3. Um algoz sem dó (1 Sm 22.18,19). Doegue estava muito disposto a cometer a atrocidade que outras pessoas, cujas consciências não estavam totalmente cauterizadas, se recusaram a cometer. Nas mãos dele, 85 sacerdotes, juntamente com os seus familiares, pereceram. Ao contemplarmos a cidade de Nobe, com os cadáveres de jovens e velhos espalhados por ela, temos um quadro muito vivido dos terríveis danos que podem ser causados pela língua caluniadora.

I - O Salmista Fala ao Seu Inimigo (vv. 1-5)

1. A jactância perversa. "Por que te glorias na maldade, ó homem poderoso?" Doegue, como "maioral dos pastores de Saul" (1 Sm 21.7) tinha uma posição de importância e, além disso, por certo possuía grande força física. "Poderoso" aqui é empregado no mau sentido, referindo-se à tirania e à arrogância. A palavra "maldade" se refere ao mal que arruina e destrói. Os títulos de honra são uma zombaria quando o receptor é mesquinho e cruel.

"Pois a bondade de Deus dura para sempre". Noutras palavras: Por que não seguir o padrão divino ao invés de ir contra ele? Como você pode pensar que vai prosperar quando vive em oposição a Deus? Os sacerdotes podem ser assassinados, no entanto o seu divino Mestre vive, e continuará vivo depois de você morrer, e ainda vai retribuir o mal que você fez.

2. A maledicência. Davi vê a origem da terrível tragédia em Nobe na língua maliciosa de Doegue. "A tua língua urde planos de destruição; é qual navalha afiada, ó praticadora de enganos!" Ler Tiago 3. Doegue prestou sua informação debaixo da capa do falso motivo de ajudar a Saul, mas, no seu coração, odiava os sacerdotes de Nobe. Seu relatório, quanto ao fato ocorrido, era verdadeiro; todavia a verdade que é contada com intenção maligna é pior do que a pior mentira inventada por alguém. Doegue contou a história com peçonhenta malícia, pois não relatou as circunstâncias que levaram Aimeleque a ajudar Davi, pensando que assim estava prestando um serviço ao próprio rei. Deliberada e maliciosamente, escondeu uma parte da verdade. A língua maliciosa foi comparada com uma navalha, porque os barbeiros orientais trabalham tão rápido e delicadamente que alguém pode ficar calvo de um momento para outro sem saber como. Refere-se também à navalha que, sob pretexto de fazer a barba a alguém, o barbeiro pode usá-la para um rápido assassinato. Foi rápida e eficaz a língua de Doegue, que com malícia e astúcia pôs fim à vida dos sacerdotes.

3. O caráter perverso. "Amas o mal antes que o bem; prefere mentir a falar retamente (Selá)". *Amar* o mal significa descer até ao fundo do poço da depravação. Por isso, o poeta Milton atribui a Satanás a expressão: "Seja, ó maldade, o meu sumo bem". Um número muito grande de crimes se cometem por motivos de ganância, medo ou vingança. O crime de Doegue, no entanto, parece ter surgido de nada mais do que a mais concentrada maldade. Para ele, a calúnia era a coisa mais natural do mundo.

"Selá" era uma anotação musical, indicando uma pausa na música que acompanhava os salmos. Para o leitor, trasmite a admoestação: faça uma pausa, para considerar bem este assunto.

"Amas todas as palavras devoradoras, ó língua fraudulenta!" Palavras devoradoras são aquelas que provocam ruína e destruição. Há palavras como a anaconda, que engolem um homem inteiro, ou como o leão, que despedaça a sua vítima; são estas palavras que fazem parte da conversa diária dos pecadores.

4. O castigo inevitável. O justo juízo pronunciado por Deus forma um contraste com a violência inescrupulosa, com a traição e falsidade do caluniador. "Também Deus te destruirá para sempre; há de arrebatar-te e arrancar-te da tua tenda, e te extirpirá da terra dos viventes". Scroggie comenta: "Que coisa terrível, ser arrancado e extirpado por Deus! Vigie sua língua!"

Doegue destruirá a família de Aimeleque (1 Sm 22.17-19), e ele também seria totalmente extirpado. O castigo sofrido por Hamã, descrito no livro de Ester, ilustra dramaticamente a triste sorte daqueles que tramam a desgraça dos outros com sua língua caluniadora.

Mais uma vez, aparece a pausa "Selá". Somos convidados a meditar profundamente e a reconhecer que a justiça divina tem a vitória total e final contra toda a malícia humana.

II - Os Justos Falam aos Perversos (vv. 6,7)

"Os justos hão de ver tudo isso, temerão, e se rirão dele". Cada manifestação da justiça divina produz no homem piedoso o sentimento de reverente temor. Mas, misturada com o temor, há uma alegria profunda - a triunfante satisfação de que Deus executou o seu justo juízo. "E se rirão dele". Estas palavras não descrevem a alegria *maliciosa* com a queda de um inimigo derrotado - atitude esta que é diretamente condenada no Antigo Testamento (Pv 24.17; Jó 31.29; 2 Sm 1.9 e segs). Há uma diferença entre a exultação, por causa da vindicação da justiça divina, e o ódio particular e pessoal dos maus. Existe o grito de vitória quando o tirano e opressor é abatido, e quando a retidão e a verdade triunfam sobre o mal e a falsidade (Ap 18.20; 19.1-3).

"Eis o homem que não fazia de Deus a sua fortaleza". A raiz da maldade de Doegue era a falta de fé em Deus, o que o levou a desviar-se do Senhor. "Antes confiava na abundância dos seus próprios bens". Todas as pessoas precisam ter algum tipo de deus, algo que consideram seu bem supremo. Doegue, tendo rejeitado a Deus, fez do ouro o seu ídolo. Para obter mais vantagens e riquezas, transformou-se em instrumento inescrupuloso nas mãos de Saul. "E na sua perversidade se fortalecia". A maldade era a sua arma. As riquezas e a perversidade juntas formam uma combinação horrenda. A cobiça e a calúnia juntas deixam o Diabo trabalhar desimpedido.

III - O Salmista Fala a Deus (vv. 8,9)

"Quanto a mim, porém, sou como a oliveira verdejante", em contraste com Doegue, que está para ser desarraigado (vv. 7-9). Assim como a oliveira viçosa está arraigada em terra boa, assim também o crente fiel está arraigado em Deus. "Confio na misericórdia de Deus para todo o sempre".

Pela fé, Davi já está vendo o abençoado resultado da intervenção da justiça divina. "Dar-te-ei graças para sempre, porque assim o fizeste: na presença dos teus fiéis esperarei no teu nome, porque é bom". Davi estava bem disposto a esperar calmamente em Deus, ao invés de se perturbar com a violência em derredor. Ele diz: "Deixe os poderosos se jactarem - quanto a nós, esperaremos no Senhor; se a pressa deles lhes traz honra mundana no presente, nossa paciência receberá a sua recompensa no seu devido tempo, e receberemos a honra que realmente vale a pena".

IV - Ensinamentos Práticos

1. O homem sábio vigia as palavras. Ler a narrativa que descreve como Saul foi aclamado rei pelo povo, em 1 Samuel 10.24-27. Alguns daqueles que tinham inveja desse filho de um sitiante, mostraram o seu desprezo por ele ao não trazerem um presente para a ocasião solene. Saul poderia ter-se queixado, com dó de si mesmo ou com ira. Mas, como diz a Escritura: "Porém Saul se fez de surdo". Este seria um excelente lema para as pessoas que, às vezes, têm de ouvir lamúrias e mexericos.

Uma fonte muito profícua em problemas para a juventude é o fato de não saber controlar a sua conversa. Em Provérbios 18.6,7; 21.23, Salomão nos ensina que quem sempre está derramando palavras não deixará de derramar muitas coisas tolas ao mesmo tempo. O homem entendido, reconhecendo que todas as suas palavras precisam ser testadas e pesadas, não consegue conversar muito. Quando só temos umas moedinhas de níquel no bolso, andamos despreocupados pelas grandes avenidas; quando, porém, estamos carregando ouro, tomamos grande cuidado.

Isto significa que sempre devemos manter um silêncio gelado? Não. Significa que devemos falar de modo claro e proveitoso quando estamos com a palavra, e que tudo quanto dizemos deve ser bem meditado antes de pronunciado (Cl 4.6).

2. *A língua como navalha.* O cristão fiel não deixará a ironia e a zombaria acompanhar a sua conversação. "Alguém há cuja tagarelice é como pontas de espada" (Pv 12.18). Henry Ward Beecher disse que há pessoas que passam pela vida como uma arma - arranham alguns, machucam outros e quebram os ossos de ainda outros.

Certo jovem perguntou por que o grupo com que viajava não lhe dava muita atenção. A resposta recebida foi: "O problema não é com eles, é com você. Cada um recebe a atenção dada aos outros; quando você começa a falar de modo gracioso, a agir de maneira afável, praticando atos de generosidade, descobrirá que você formará uma boa amizade com os membros do grupo".

A maioria das pessoas não gosta daqueles que lhe inspiram temor, e temem aqueles que as humilham.

3. *O remédio para a tagarelice.* Insinuações baseadas em tagarelice podem ser repetidas como fatos e causar danos incalculáveis. Tais expressões começam com a palavra "*Dizem...*" Em resposta, é sempre bom perguntar logo: "Quem disse?" para ver se se trata dalguém que está acostumado a espalhar histórias maliciosas contra a vida alheia.

É uma boa regra recusar-nos a dar crédito a qualquer conversa contra a vida alheia sem termos as evidências (ver Dt 13.14), mormente se a pessoa que assim fala tende a torcer maldosamente as conversas. Certo pastor descreveu o seguinte método de acabar com o costume de maledicência:

"Na minha experiência, descobri que pessoas estão dispostas a dizer muita coisa contra a vida alheia que não querem sustentar depois. Mandei imprimir as palavras "QUEIXAS DOS MEMBROS DA IGREJA" num livro de anotações, e, quando alguém traz uma conversa contra seu próximo, mostro o livro, abro-o, e digo: 'Vou anotar o assunto, a fim de deixar claro aquilo que a senhora estará disposta a testificar depois'. Colocando o assunto nestes termos, nunca houve pessoa alguma que quisesse falar mais contra o próximo. Comecei a considerar esse livro um dos mais valiosos da minha biblioteca pastoral, e levei comigo para as várias igrejas que pastoreei, durante um período de uns quarenta anos. Embora tenha aberto esse livro no mínimo umas mil vezes, até hoje nenhuma anotação foi feita nele! É um remédio eficaz contra a maledicência!"

4. O correto emprego das riquezas. O versículo 7 nos ajuda a entender porque o dinheiro tantas vezes se transforma em maldição. Muitas pessoas fazem dele um tipo de ídolo, e começam a desviar-se do Deus verdadeiro, tornando-se arrogantes, egoístas, com coração duro e dispondo-se a oprimir os outros.

Popularmente se ouve duas opiniões pronunciadas quanto à propriedade e as riquezas. Uma delas diz: "O que possuo é exclusivamente meu, e vou fazer o que bem entendo com minhas riquezas". Este é um dos extremos. A outra opinião, no outro extremo, declara: "Nada pertence a ninguém individualmente; tudo pertence ao estado, que deve distribuir os bens segundo a necessidade de cada um".

O sistema bíblico evita ambos estes extremos, com seu ensino de que todas as coisas pertencem a Deus, Criador de tudo, e que ao homem se confiam bens a fim de que sejam empregados para a glória dEle (ver Lv 25.23; 1 Cr 29.14; Sl 24.1; 50.10; Ag 2.8). É este o sistema que chamamos de Mordomia. O mordomo é um empregado de total confiança, que administra uma parte das riquezas e propriedades dalgum homem de posição (ver Lc 16.1).

Fritz Kreiler, um dos mais famosos violinistas do mundo, ganhava somas enormes em concertos, mas vivia em extrema simplicidade, para dar a maior parte do seu dinheiro a um orfanato. E por quê? Ele disse que recebera seu talento como dom da providência, de tal modo que nem sequer merece elogios nem agradecimentos pela sua música. Nunca considera da sua exclusiva propriedade o dinheiro que ganhava. Encarava-o como um fundo entregue aos cuidados dele, para a cuidadosa administração e distribuição às causas da caridade. O grande músico, portanto, se considerava mordomo dos bens. O mundo seria um lugar melhor se todos encarassem assim os seus ganhos.

5. O princípio da subordinação. Devemos colocar assuntos de dinheiro em posição secundária, depois das coisas mais nobres. Quando o famoso evangelista, Sundar Singh, visitou os Estados Unidos há muitos anos, ficou profundamente triste ao ver que quase todos se dedicavam à louca corrida competitiva atrás das riquezas. Ele disse que parecia-lhe que até os cristãos pensassem que Jesus prometera: "Vinde a Mim todos os que estais carregados com dinheiro, e Eu vos aliviarei".

O dinheiro não é pecaminoso em si mesmo; os grandes danos surgem quando o dinheiro recebe a atenção e dedicação que devem ser reservadas para coisas de valor eterno. Conta-se a história de certo jovem que achou uma moeda de ouro no barro da estrada; daquele dia em diante, sempre andava fora de casa com os olhos fitos no chão. É muito comum alguém se dedicar tanto às várias maneiras de fazer dinheiro, esquecendo-se de Deus e das coisas mais nobres da vida.

A paz, o bom caráter e a consciência limpa não podem ser comprados, nem vendidos, e ninguém pode furtá-los de nós. O falecido Charles Pratt, filântropo americano, disse: "Nenhuma idéia é tão falsa como aquela que declara que a mera possessão das riquezas dá felicidade às pessoas. Eu nunca tive satisfação alguma com todas as minhas riquezas até que comecei a dedicá-las à prática do bem".

6. O princípio da troca. Se você estivesse de viagem num país estrangeiro, o que faria com os seus reais? Naturalmente, teria de trocá-los pela moeda do país visitado. Sabemos, pois, que não poderemos levar conosco qualquer forma de dinheiro na ocasião da nossa morte. Há, portanto, alguma maneira de fazer câmbio na terra, fazendo com que nossas riquezas se transformem em valores celestiais?

Sim, há uma maneira de ser rico diante de Deus. O dinheiro dedicado aos trabalhos de evangelização, o dinheiro que ajuda a formar uma personalidade espiritual, o dinheiro que enxuga as lágrimas, e o que contribui para a promoção das verdades ensinadas por Deus - tais riquezas nunca perecem, e estão investidas no banco dos céus. Os tesouros gastos na causa de Deus entre os homens estão fora do alcance de ferrugem e traças - é moeda celestial e eterna.

A atitude certa do crente é empregar o dinheiro de tal modo que, ao chegar no céu, você receberá as boas-vindas daqueles cuja vida espiritual foi abençoada através de dinheiro contribuído por você! É isso que Jesus nos ensina em Lucas 16.9. Ele diz: "O dinheiro muitas vezes é ganho e gasto de modo egoísta e perverso; você, porém, deve empregá-lo de tal maneira que vai desenvolvendo amizades espirituais que durarão por toda a eternidade".

Em Lucas 16.19-25 você pode ler a descrição do homem que vivia longe de Deus, interessado no seu luxo e conforto, e que não tinha "amigo" algum para dar-lhe um lugar com os fiéis na presença de Deus, perto de Abraão, pai espiritual de todos aqueles que crêem. Leia a exortação em 1 Timóteo 6.17-19.

7. A vida é como a oliveira verdejante. A oliveira precisa de terra gorda; só produz frutos de valor quando está plantada em ambiente ricamente nutritivo. Em terra magra, a árvore fica sendo um pequeno arbusto mirrado e inútil. É a esta característica da oliveira que o salmo se refere. O próprio Davi, escritor do salmo, é como oliveira arraigada em lugar ideal, porque Deus é o terreno da sua vida.

O desejo de Deus para você, também, é que você seja uma oliveira arraigada nEle e recebendo diretamente dEle as suas forças, utilidade e beleza. O propósito de Deus é que seus equipamentos morais e espirituais sejam fortes. Quando você está arraigado nEle, cada galho e folha da sua personalidade recebe a seiva vivificante em grande abundância e cada uma das suas faculdades é encorajada a frutificar ricamente mediante a energia divina. Todo fruto, assim produzido, é uma contribuição para a causa do nosso Rei.

Quando você dedica a sua vida a Deus, deixando-o assumir o controle total, a vida divina influencia cada esfera das suas atividades diárias, e você fica muito cônscio de que "nele vivemos, e nos movemos, e existimos" (At 17.28).

12

Como Israel Fraquejou Diante de Deus

Texto: Salmos 78 e 106

Introdução

Os Salmos 78 e 106 são chamados “Salmos Históricos”, porque passam em revista a história de Israel e tiram dela as suas lições morais e espirituais. Salmos desta natureza (há vários deles) têm o propósito de conservar o povo de Deus fiel a Ele, por meio de demonstrar como a infidelidade no passado, tantas vezes, levava a grandes calamidades.

O próprio fato de a narrativa bíblica relatar os fracassos e as desobediências de Israel é mais uma indicação da verdade da história bíblica. A Bíblia, diferentemente de qualquer livro de história humana, não se propõe a glorificar o povo de Deus nela descrito. Pelo contrário, francamente revela as fraquezas dos israelitas. A nação israelita não é exaltada na história bíblica - somente a Deus cabe toda a honra e toda a glória.

O pensamento básico destes salmos é o seguinte: a nação de Israel, embora favorecida por Deus muito mais do que as outras nações, mostrou-se ingrata a Ele. Embora sua ira tivesse sido repetidas vezes provocada pelos israelitas, prevalecia sempre a sua misericórdia, e perdoou-os inúmeras vezes.

I - O Fracasso Constante de Israel
(Sl 78.36,37,40-42; Sl 106.13-16)

1. A insinceridade. O Salmo 78.34,35 nos informa que Israel tinha o hábito de recorrer a Deus em tempos de aflição. Até que ponto era sincero o arrependimento dos israelitas? "Lisonjeavam-no, porém de boca, e com a língua lhe mentiam" (v. 36). Sob os açoites do medo, corriam pedindo socorro divino, mas o arrependimento deles e o culto prestado a Deus nessas ocasiões não passavam de hipocrisia e declarações da boca para fora.

"Porque o coração deles não era firme para com Ele, nem foram fiéis à sua aliança" (v. 37). O único culto aceito por Deus é a adoração que vem do fundo do coração (Dt 10.12; Pv 3.1; 23.26). Se nosso coração não está de bem com Deus, nosso ato de adoração é uma ofensa contra Ele (Jo 4.23,24).

2. A instabilidade. "Nem foram fiéis à sua aliança". Não se pode dizer que os israelitas estavam sem sentimentos religiosos; na realidade, eram fracos e inseguros na sua fé, e nunca se podia confiar neles. As boas resoluções deles surgiam por vezes, permaneciam por um certo tempo, e depois desapareciam. Spurgeon comenta: "Já que as mais agudas aflições nada mais despertam nos homens carnais do que um fingimento de submissão a Deus, temos aqui prova positiva de que o coração não convertido está desesperadamente dedicado à maldade, e que o pecado está profundamente arraigado na natureza humana. Se você vai surrando um tigre, nem por isso vai conseguir transformálo em cordeirinho. Os castigos, por si só, não podem expulsar o diabo da natureza humana, embora possam forçar a pessoa a procurar encobrir a situação por meio de importar outro demônio, o da hipocrisia. A religião que cresce sob tristezas e temores se desenvolve rapidamente, mas também logo murcha. Qualquer ladrão está disposto a gemer declarações de arrependimento se acha que assim possa comover o juiz a soltá-lo sem castigo".

3. A incredulidade. "Quantas vezes se rebelaram contra ele no deserto e na solidão o provocaram!" (leia, também, Dt 31.27; 32.15-18; At 7.30-43). O deserto era um lugar onde as tribos de Israel não tinham qualquer esperança de sustento sem o suprimento enviado por Deus, mas mesmo assim rebelavam-se contra aquEle que lhes dava alimento. Estavam numa situação de dependerem totalmente de Deus, mas mesmo assim ofenderam a Deus. "Tornaram a tentar a Deus, agravaram o Santo de Israel" (v. 41). Com saudades das comidas que, como escravos, recebiam no Egito, desviavam-se inúmeras vezes para sua antiga maneira de pensar, querendo até voltar para o Egito (Rm 14.1-4). "Tentar a Deus" significa provocá-lo à ira, e desafiá-lo para ver se faria milagres segundo a vontade deles. Apesar de todas as maravilhas que Deus operara em prol dos israelitas, desafiavam a Ele cada vez que surgiam dificuldades, ao invés de fazer-lhe humildes súplicas. "Agravaram o Santo de Israel" - literalmente, "limitaram". Isto pode significar que eles, nas suas próprias mentes, consideravam limitado o poder de Deus, ou, mediante a falta de fé por parte deles, não deixavam a ajuda divina vir em prol deles. Que a incredulidade limite à eficácia dos milagres de cura se pode ver em Marcos 6.5 e Mateus 13.58. No deserto, os israelitas quase estavam dizendo a Deus que não adorariam a Ele a não ser que Ele fizesse as vontades deles. Não falaram isso abertamente, todavia suas ações e atitudes significavam nada menos do que isso.

4. A ingratidão. "Não se lembraram do poder dele, nem do dia em que os resgatou do adversário" (v.42) - ver Êxodo 15.1-21. Não se tratava de esquecimento total do próprio evento - é que sua ingratidão era como se o milagroso Êxodo tivesse sido riscado do calendário. "Cedo, porém, se esqueceram das suas obras" (Sl 106.13). Sua gratidão e sua devoção duraram pouco. "E não lhe aguardaram os desígnios". Não esperaram os planos de Deus para que sua vida amadurecesse; preferiram o próprio caminho deles.

5. A insatisfação. "Entregaram-se à cobiça, no deserto" (Sl 106.14). Embora não tivessem paciência para esperarem o cumprimento da vontade de Deus para eles, adiantavam-se em exigir as suas próprias vontades, e já! Embora Deus tivesse dado o maná, cansavam-se disso e exigiam carne, o que nenhum bem lhes faria naquele clima. "E tentaram a Deus na solidão". Que loucura - provar a Deus numa situação em que dependiam inteiramente da misericórdia dEle! Em que sentido "tentaram" a Ele? É porque queriam induzí-lo a mudar os planos sábios que Ele tinha para eles, quando os alimentava com maná, e acusá-lo de fraco se não "conseguisse" lhes enviar carne. Deus não cede diante das ameaças ou das promessas dos homens, porém, para dar uma lição a estes rebeldes: "Concedeu-lhes o que pediram, mas fez definhar-lhes a alma" (Sl 106.15). É melhor que alguma oração nossa receba uma negativa amorosa da parte de Deus, do que receber aquilo que pedimos, juntamente com o castigo divino. Depois de os israelitas comerem da carne das cordonizes durante um mês, esta comida já começou a dar nojo (Nm 11.20, 31-35), e seguiu-se uma praga. A comida, sem a bênção divina, se lhes tornou um veneno. Ficou sendo uma maldição para o corpo e para a alma. Em Lucas 12.16-21, lemos a história do fazendeiro rico que quis satisfazer a sua alma com coisas pertencentes à vida natural, e o resultado foi a perda tanto da vida física como da vida eterna.

6. Inveja. "Tiveram inveja de Moisés no acampamento, e de Arão, o santo do Senhor (v. 16). Há referência aqui ao pecado de Coré e dos seus seguidores, que tinham inveja da alta posição atribuida por Deus a Moisés e Arão (Nm 16.1-3). Essa inveja não tinha razão de ser, porque, afinal de contas, Moisés trabalhava mais do que qualquer outra pessoa no arraial. Deviam ter-lhe dado a sua simpatia, ao invés de terem ciúmes dele.

II - As Infalíveis Misericórdias do Senhor (Sl 78.38,39)

"Ele, porém, que é misericordioso, perdoa a iniqüidade, e não destrói; antes, muitas vezes desvia a sua ira, e não dá largas a toda a sua indignação" (ver também Êxodo 34.6,7; Números 14.18; Salmos 103.8; 145.8; Êxodo 32.10,11; Números 14.12-20; 16.21, 45-50). Eles estavam cheios de falsidade, entretanto Ele transbordava com misericórdia. Não foi por causa do fraco arrependimento deles, mas por causa da sua real compaixão, que Deus deixou passar as provocações deles. Ler a parábola em Lucas 13.6-9, que ilustra a paciência de Deus com os israelitas.

"Lembra-se de que eles são carne, vento que passa e já não volta" (Gn 6.3). "Carne" é o nome comum dado à natureza humana na sua fraqueza, fragilidade e tendência ao pecado (Rm 7.17). Embora Deus não considerasse este fato uma desculpa justificável, levava-o em conta e reduziu ao mínimo a severidade do castigo. O "vento" aqui simboliza quão passageira é a vida humana (Tg 4.14). Sem Deus, o homem é realmente insignificante, mas visto dentro do contexto da graça de Deus e do plano da redenção, o homem passa a ter valor muito grande (Mt 18.10-14).

III - Ensinamentos Práticos

1. "E não se esqueça de todos os seus benefícios". Muitas pessoas ficam prósperas, esquecem-se das suas origens humildes e não se lembram de favores a elas prestadas quando estavam precisando dalguma ajuda. O homem rico logo se esquece do amigo divino que o consolava durante os dias de adversidade, dando chute na própria escada pela qual foi subindo. Quando os bens aumentam e a taça transborda, o homem perde de vista aquEle a quem tudo deve. Iludido pelo brilho dos bens materiais, achando que eles nunca faltarão, acha este mundo sólido e real, e já não pensa no mundo mais sublime em que deseja passar a eternidade. Quando certo membro de uma família comentou, depois de ir visitar o irmão deles: "O João está progredindo no mundo!", a mãe deles perguntou: "Em qual mundo?"

A prosperidade é um perigo à piedade. É como um período demasiadamente longo de bom tempo, de sol sem chuvas. Logo as estradas ficam empoeiradas, e quem anda nelas começa a respirar pó. Depois, mesmo em casa a poeira começa a invadir tudo, e, finalmente, um abatimento e desânimo toma posse do ambiente inteiro. Todos começam a suspirar pelas chuvas. A prolongada prosperidade produz poeira para a alma, que cega os olhos espirituais e se insinua no fundo do coração; algumas chuvas de tristeza servem para reivigorar a alma seca.

2. *Deus exige o culto sincero.* "Lisonjeavam-no, porém, de boca, e com a língua lhe mentiam" (Sl 78.36) - ver também Isaías 29.13. Não foram somente aqueles antigos israelitas que assim pecaram. Muitos coros das igrejas expressam pela voz sentimentos muito distantes do coração dos cantores. Jesus sempre aceitava sincero louvor e adoração, todavia mero sentimentalismo expressado com palavras de lisonja era repudiado com respostas abruptas tais como: "Antes bem-aventurados são os que ouvem a palavra de Deus e a guardam!" Jesus nunca falava assim para repreender pessoas cujo sentimento espiritual era profundo e sincero (Lc 7.38).

O coração é como o metal de um sino, e a língua é apenas o badalo; quando o metal do sino é de valor, o som será puro; quando se trata de metal rachado, ou de chumbo, o ouvido treinado logo perceberá a diferença. Deus pode ver em nossa língua as manchas que revelam profundas doenças no coração. Conforme Jacó disse à sua mãe: "Dar-se-á o caso de meu pai me apalpar, e passarei a seus olhos por zombador: assim trarei sobre mim maldição, e não bênção" (Gn 27.12). Quem é considerado eloqüente diante de Deus? Aquele que fala com sinceridade!

3. Como o homem agrava a Deus? "Tornaram a tentar a Deus, agravaram o Santo de Israel". Como podemos tentar, agravar, ofender, ou mentalmente limitar a Deus hoje em dia?

1º) Podemos limitar nossa comunhão com Ele apenas aos cultos de domingo. Podemos freqüentar regularmente os cultos, sem perceber que o lar é local para adorar a Ele também, que o escritório pode ser usado para glorificá-lo e que nos recreios também podemos dar bom testemunho dEle. Ele é Senhor da totalidade da nossa vida. Quando Davi Livingstone estava para viajar ao colégio internato, o seu pai lhe disse: "Davi, Davi, faça com que a sua religião seja o assunto da sua vida diária, e não algo de certos momentos espalhados".

2º) Podemos limitar nosso conceito do amor de Deus, como quiseram os líderes eclesiásticos numa reunião em que William Carey, um dos primeiros missionários dos tempos modernos, se ofereceu para sair e pregar Cristo entre as nações pagãs. O Presidente do Conselho gritou: "Sente-se, jovem; quando Deus resolve converter os pagãos, Ele o fará sem você ou eu". Cristo, porém, morreu para salvar todo aquele que crê, e baseia-se neste fato a pregação do Evangelho a toda criatura.

3º) Podemos entristecer o Espírito Santo. "Não apagueis o Espírito". Podemos chegar a imaginar que a operação do Espírito Santo é limitada a manifestações visivelmente ativas de serviço cristão e ficar sem reconhecer sua voz mansa e tranqüila falando no fundo da nossa consciência. Por outro lado, podemos ficar com tanto medo de fazer algo "na carne", que nossa receptividade espiritual à orientação do Espírito fica amarrada. Quem procura a operação do Espírito Santo, nos milagres repentinos e dramáticos sem procurar sua obra silenciosa de iluminar e moldar a consciência, pode perder muitas maravilhosas bênçãos. Nossa vida humana precisa de todas as operações e manifestações do Espírito Santo, e nenhuma delas pode ser menosprezada.

4º) Podemos tomar atitudes de quem pensa que o poder de Deus está limitado. Deus nunca mudou; se hoje não sentimos como anteriormente o poder divino em nossa vida, é porque houve mudança da nossa parte. O que Deus já fez, sempre poderá fazer de novo. E isto não se aplica somente aos muitos milagres físicos registrados na Bíblia; também se aplica aos milagres espirituais, como a regeneração e santificação da natureza humana. Às vezes ficamos sem esperança quanto a certas pessoas que vivem no fundo do poço da iniqüidade. Nada é por demais difícil para Deus. Devemos ter pensamentos grandiosos acerca de um Deus grandioso. Faça grandes coisas em prol da causa de Deus, e espere grandes coisas da parte dEle.

4. O pecado da lamúria (Sl 78.40,41). Joseph Parker escreveu: "Quando entramos nas lamúrias, estamos reclamando contra Deus. Nossas queixas, afinal de contas, se dirigem contra Ele, pois é dEle este universo, não nosso. O homem não criou uma única folha de grama entre todas as plantas verdes que cobrem a terra; o homem não acendeu nenhuma centelha em todo o céu resplandecente com estrelas. Nossas queixas, portanto, são contra o Cabeça da casa. Não devemos nos esquecer de tomar esta atitude séria para com o assunto. Não podemos tratar a vida como se fosse um jogo de azar, nem podemos pensar que tudo depende de como nós, ou nosso próximo, tratamos com as coisas. Lastimar-se é adotar atitude atéia; murmurar é derribar o altar de Deus; falar com despeito acerca das provações e tentações que a vida põe em nosso caminho é duvidar da sabedoria de Deus. As contendas contra Deus trazem consigo suas próprias serpentes peçonhentas (ver Nm 21.4-6). O descontentamento nunca trouxe felicidade, as amargas queixas nunca suavizaram a vida de um lar. Os israelitas achavam insípida e leve a alimentação, e acabaram sendo "condimentados" com serpentes cujos movimentos eram como labaredas de fogo, e cujas mordidas ardiam como uma queimadura. Sempre há o risco de passarmos por alguma coisa ainda pior, se não nos arrependermos em tempo. Jesus disse: "Olha que já estás curado; não peques mais, para que não te suceda cousa pior" (Jo 5.14).

Um espírito de queixume faz mal à alma, além de todos os danos causados ao corpo. A fadiga não é causada somente pelo serviço pesado: mais danos são feitos por emoções pecaminosas tais como preocupação, insatisfação, enfado e rebeldia contra a nossa situação na vida. É por isso que fracassam tantas "curas de descanso", e que tantas pessoas voltam das férias tão nervosas e esgotadas como quando tomaram licença do serviço. Podem afastar-se do seu meio ambiente do serviço e do lar, mas não podem fugir da sua própria personalidade. A submissão à vontade de Deus, mediante oração e meditação na sua Palavra, nos trará a paz de Deus que ultrapassa todo o entendimento (Fp 4.6).

5. Nossa própria vontade nem sempre é a melhor. "Concedeu-lhes o que pediram, mas fez definhar-lhes a alma". Ficaríamos em péssima situação se pudéssemos determinar os acontecimentos futuros da nossa vida; não entendemos a circunstâncias que hão de surgir, e não temos a mínima idéia daquilo que realmente será uma bênção para nós. Quando se trata de escolher o que queremos na vida, é espantoso descobrir quantos erros graves fazemos em nossos planos. Na maioria das vezes, nem sequer sabemos o que queremos. Devemos ficar profundamente gratos pelo fato de que Deus nem sempre nos concede o que pedimos, nem aquilo que imaginamos precisar. Será que os três seguintes grandes servos de Deus teriam recebido a bênção melhor se tivessem obtido de Deus aquilo que pediram: Moisés (Nm 11.15), Elias (1 Rs 19.4) e Pedro (Lc 5.8)?

Às vezes Deus permite alguém escolher aquilo que não é o melhor, para depois aprender que é melhor deixar nas mãos de Deus a escolha; o seu grande amor para os fiéis é tão grande, que aquilo que Ele escolhe para nós será mais maravilhoso do que tudo quanto poderíamos imaginar. Israel insistiu em ter um rei como as demais nações, embora isto não representasse o plano melhor de Deus para o seu povo. Deus permitiu a Samuel ungir um rei para Israel, embora não fosse esta a melhor forma de governo para essa nação; era a única maneira de revelar a tolice deles e finalmente levá-los de volta à fé e confiança em Deus.

6. Um corpo mimado é para uma alma fraca. Deus, concedendo a carne que os israelitas queriam, "fez definhar-lhes a alma". Os sábios de todas as nações e religiões têm reconhecido como o excesso de comida e de luxos causa um rebaixamento da personalidade moral e espiritual. Sir Sidney Smith disse: "Cheguei à conclusão de que os seres humanos consomem quantidades demasiadas de comida". Disse outro: "A gula é a origem das nossas doenças e a fonte das nossas enfermidades. Assim como uma lâmpada de óleo fica entupida com uma quantidade demasiada de óleo, e o forno fica sufocado com o excesso de combustível, assim também a saúde natural do corpo é destruída pela dieta sem temperança". Disse certo filósofo grego da antigüidade: "Assim como casas cheias de estoques de produtos alimentícios usualmente estão infestadas com ratos, assim também os corpos dos que comem desta fartura estão cheios de doenças". Um estudioso persa disse: "Aquele que é escravo do seu estômago raras vezes pode adorar a Deus". Certo ditado popular diz: "Metade daquilo que as pessoas comem sustentam a sua vida, e a outra metade sustenta a vida dos seus médicos".

Não é somente a demasiada preocupação com a alimentação que tende a tornar lerda a alma, como também a demasiada dedicação a qualquer outra vantagem ou paixão deste mundo. Certa senhora, quando vivia em circunstâncias difíceis, sempre dava R$ 50,00 a certa missão, quando ficou rica, surpreendeu o pastor que veio receber a oferta, ao entregar apenas R$ 5,00. A explicação que a senhora deu para esta mudança foi a seguinte: "Quando tive de esperar em Deus, dia após dia, para o meu sustento diário, tinha bastante, e ainda podia fazer sobrar algum dinheiro; agora, já que dependo das minhas grandes rendas, sempre tenho medo de perder tudo e começar a passar necessidades. Meu coração era um coração de R$ 50,00 quando dependia dos tostões, e agora meus meios de vida são enormes, e é o meu coração que é de um tostão".

Jesus nos ensina que a verdadeira vida das pessoas não consiste nos objetos materiais que possui. "Tende cuidado e guardai-vos de toda e qualquer avareza: porque a vida de um homem não consiste na abundância dos bens que ele possui" (Lc 12.15).

7. Empregando bem a vida curta. "Lembra-se de que eles são carne, vento que passa e já não volta" (Sl 78.39) - ver também Tiago 4.14. A brevidade da vida e a fragilidade da natureza humana são temas familiares na literatura de todas as nações. Tais pensamentos provocam em algumas pessoas a mais profunda melancolia, enquanto outras tomam a resolução: "Comamos, bebamos e nos alegremos, porque amanhã morreremos". Quando, porém, temos comunhão com o Deus eterno, a vida também passa a ter significado eterno, e nossa meditação acerca da brevidade da vida se transforma em:

• A certeza da misericórdia de Deus. Deus, conhecendo a fragilidade da nossa natureza, não exige de nós mais do que podemos realizar, nem nos deixará passar por mais sofrimentos do que podemos agüentar.

• Uma oportunidade de recebermos a graça divina. Por mais curta que seja a nossa vida, é a época durante a qual podemos receber a salvação pela fé, com o perdão dos nossos pecados e a santificação.

• Um período para o desenvolvimento do nosso caráter. Esta curta vida na terra nos oferece a oportunidade de desenvolver uma personalidade que brilhará durante toda a eternidade (ver as promessas aos vencedores, em Ap 2 e 3).

• Apesar da sua brevidade, a nossa vida oferece uma abundância de oportunidades para fazermos bem ao nosso próximo. Em nossa caminhada pela vida, devemos semear o bem enquanto avançamos. No fim da nossa vida, todas as palavras bondosas e todos os atos generosos da nossa parte serão uma lembrança muito feliz.

8. A inveja é uma grande infelicidade. "Tiveram inveja de Moisés no acampamento" (Sl 106.16). Todos os demais pecados têm algum prazer vinculado a eles, que Satanás emprega como isca; só a inveja nunca dá um segundo de prazer. A inveja causa nada menos que um grande desgosto, e transforma a alma humana num inferno de descontentamento e perturbação. A alma do invejoso não somente é tormentada por todos os males que lhe advêm, como também sofre torturas cada vez que outra pessoa recebe alguma vantagem ou bênção. "Assim como a traça consome a roupa, também a inveja consome a alma do homem". A inveja está arraigada no egoísmo, na adoração ao próprio eu, e é somente quando Cristo reina em nosso coração que conheceremos o amor não ciumento.

13

Vencendo o Medo

Texto: Salmos 91, 121 e 124

Introdução

Não sabemos com certeza quem é o autor do Salmo 91; a antiga tradição judaica declarava que quando um salmo ficava sem nome, este se encontrava na obra do autor do salmo anterior. Neste caso, o Salmo 91, juntamente com o Salmo 90, foi escrito por Moisés. Outros estudiosos declaram que foi Davi o autor.

A mensagem do salmo é o cuidado que Deus dispensa aos que pertencem a Ele, e a perfeita paz e segurança dos que nEle se refugiam. A linguagem é a de um pai amoroso exortando um filho, até que o próprio Pai celestial intervenha no refrão, prometendo sua eterna proteção aos fiéis. O Salmo 91 é a versão antiga da convicção triunfante: "Se Deus é por nós, quem será contra nós?" (Rm 8.31).

I - Permanecendo em Deus (Sl 91.1-4)

"O que habita no esconderijo do Altíssimo". Trata-se daquele que sempre firma em Deus os seus pensamentos, que procura a comunhão constante dEle. São aqueles fiéis que procuram sempre viver perto do Senhor. Compare isto com o ensinamento de Cristo em João 15.1-10. "E descansa à sombra do Onipotente". Deus estenderá os seus cuidados ao homem que se coloca sob a proteção dEle. A fé amorosa da parte do homem será entendida por amorosa fidelidade da parte de Deus. A comunhão com Deus significa segurança. Quanto mais perto de Deus andarmos, mais confiança teremos.

"Diz ao Senhor: Meu refúgio e meu baluarte, Deus meu, em quem confio". A pessoa que fala aplica a si mesma a verdade geral descrita no primeiro versículo. Qualquer pessoa pode dizer: "Deus é um refúgio", mas só aquele que tem fé pode dizer "Deus é o *meu* refúgio". A fé daquele que fala é corajosa e se anuncia publicamente, muitos se deleitam em anunciar as suas dúvidas, mas o que é necessário é alguém declarar as suas convicções religiosas. Cada animal do campo foge para o seu refúgio no momento do perigo; o homem, criado bem mais sublime do que os animais, somente em Deus pode achar o seu refúgio satisfatório.

"Pois ele te livrará do laço do passarinheiro, e da peste perniciosa". Como passarinhos estultos e fracos, deixamos Satanás nos atrair para as suas arapucas. Paulo declarou: "Não ignoramos os propósitos dele". Deus é Espírito, e pode nos proteger de espíritos maus; Deus, cujos caminhos são misteriosos, pode nos proteger de perigos misteriosos; Deus é imortal e pode nos livrar de doenças mortais. Não há limites ao poder protetor da fé, entretanto a promessa é dirigida àqueles que *habitam* no esconderijo do Altíssimo, e não àqueles que fazem raras visitas a Ele.

"Cobrir-te-á com as suas penas" - isto significa a proteção divina - "sob suas asas estarás seguro" - é esta a situação humana de quem tem fé em Deus. Deus sempre está protegendo, porém será que sempre estamos confiando? "A sua verdade é pavés e escudo". É esta a base da nossa fé e confiança (Ef 6.16).

II - Protegido por Deus (Sl 91.5-10)

"Não te assustarás do terror noturno, nem da seta que voa de dia, nem da peste que se propaga nas trevas, nem da mortandade que assola ao meio-dia". Isto inclui roubos, assaltos, guerras, pragas, a ensolaração (Sl 121.6) e todas as demais desgraças súbitas de dia e de noite. "Caiam mil ao teu lado, e dez mil à tua direita; tu não serás atingido". O fiel servo de Deus, com uma missão para cumprir, e com fé profética em tempos de perigo, fica firme com a convicção de que nenhuma circunstância que atinge as pessoas em derredor poderá ser uma ameaça contra a vida dele, até ser cumprida a obra que Deus confiou a ele (2 Rs 19.35-37).

Esta verdade também se aplica a assuntos espirituais. Em tempos de apostasia e frieza espiritual, quando há decadência na própria religião, o homem, que vive perto de Deus, renova as suas forças e a sua alma fica livre de enfermidades morais.

"Somente com os teus olhos contemplarás, e verás o castigo dos ímpios" (Nm 14.30,32; Dt 4.4). Embora, às vezes, podemos pensar que a justiça divina está se atrasando, as evidências demonstram que há um Soberano moral que reina sobre os homens e que mais cedo ou mais tarde acerta as contas com os ímpios.

"Pois disseste: O Senhor é o meu refúgio. Fizeste do Altíssimo a tua morada. Nenhum mal te sucederá, praga nenhuma chegará à tua tenda". Certa vez, durante um período de epidemia perigosíssima em Londres, Charles H. Spurgeon estava visitando os enfermos e realizando enterros, quando, esgotado e desanimado, sentiu que a praga mortal já pegara nele. Ao passar na frente de uma loja, viu numa vitrine estas palavras de Salmo 91.9,10 expostas como lema. "O efeito sobre o meu coração foi imediato. A fé aceitou estes versículos, aplicando-os à minha vida. Senti-me seguro, refrigerado e revestido com imortalidade. Continuei minhas visitas pastorais aos enfermos e moribundos, com paz de espírito; não senti medo de nenhum dano, e não sofri mal algum", disse ele. Certo médico alemão disse ser este salmo a melhor proteção em tempos de praga.

III - Vitoriosos com Deus (Sl 91.11-13)

"Porque aos seus anjos dará ordens a teu respeito, para que te guardem em todos os teus caminhos". Este mundo é um campo de batalha para as forças espirituais do bem e do mal. Quando chegarmos a ver os anjos face a face, ficaremos atônitos ao sabermos quantas vezes mãos invisíveis nos prestaram serviços espirituais aqui na terra, além de nos proteger de muitos perigos de cuja existência não tínhamos a mínima idéia. "Eles te sustentarão nas suas mãos, para não tropeçares nalguma pedra". Ainda que a providência de Deus não nos tenha dado um caminho suave para palmilhar, podemos contar com a ajuda celestial para nos proteger dos tropeços (Pv 3.23,24).

"Pisarás o leão e o áspide, calcarás aos pés o leãozinho e a serpente". O costume dos conquistadores antigos era colocar o seu pé na nuca do inimigo vencido. O leão simboliza aqui todos os inimigos conhecidos, abertos e violentos; a serpente simboliza todos os inimigos secretos e traiçoeiros, tais como caluniadores. O inimigo mais poderoso e mais peçonhento nas suas tramas será vencido pelo homem de Deus. Aqueles que habitam no esconderijo do Senhor não estão isentos de qualquer ataque, e os seus pés entram em contato com os piores inimigos. Em Cristo, porém, têm a esperança de pisar Satanás debaixo dos pés deles.

IV - Honrado por Deus (Sl 91.14-16)

Deus, falando através da boca do escritor inspirado, pronuncia o seu "amém" às promessas citadas. "Porque a mim se apegou com amor, eu o livrarei; pô-lo-ei a salvo, porque conhece o meu nome". Não é porque o fiel merece ser assim preservado, mas porque, apesar de todas as suas falhas, fixou em Deus o seu amor. É o amor dedicado a Deus a marca distintiva de todos aqueles que o Senhor liberta de todo o mal. Somente aqueles que realmente amam a Deus permanecem em profunda comunhão com Ele; tais pessoas também têm verdadeira fé nEle. Deus tem prazer em ver estes dons de graça, amor e fé presentes nos seus adoradores; Ele dá os dons, e ainda recompensa as pessoas que os evidenciam. Se subirmos a um ponto alto por conta própria, poderemos sofrer perigo; mas se Deus nos colocou num lugar elevado, estaremos seguros numa situação de grande glória.

"Ele me invocará, e eu lhe responderei". Deus está mais disposto para dar do que nós para receber; todavia isto não nos isenta do dever e do privilégio de orar. Deus não força os indiferentes, os frios e os indispostos a aceitarem bênçãos. "Na sua angústia eu estarei com ele, livrá-lo-ei, e o glorificarei". Deus fica com pessoas que sentem o quanto precisam dEle. Honra quem honra a Ele.

"Saciá-lo-ei com longevidade". No Antigo Testamento, a vida longa é considerada uma recompensa especial pela retidão (Êx 20.12; Dt 5.16. 2 Rs 20.6; Sl 21.4; Pv 3.2,16). Na Nova Aliança, no entanto, o mais importante é estarmos "com Cristo" (Fp 1.23). De modo geral, a obediência às leis de Deus tende a nos garantir uma vida longa, cheia de saúde. O homem de Deus, jovem ou velho, está satisfeito com a vida, e também está satisfeito quando vem a hora para deixar a vida. Porque ele é do Senhor, seja durante a sua vida, seja depois da sua morte. Podemos ter uma vida longa com a saúde dada por Cristo, mas também podemos abrir mão disto e entregar a nossa vida na causa de Cristo. "E lhe mostrarei a minha salvação". Depois de uma vida longa em espiritualidade na terra, passaremos a contemplar a glória celestial. "Quando acordar eu me satisfarei com a tua semelhança" (Sl 17.15).

V - Ensinamentos Práticos

1. No esconderijo da presença de Deus. Certo escritor relata que trabalhava longas horas cada dia num escritório onde o chefe sempre o maltratava e os companheiros só falavam coisas indecentes, e que só agüentava tudo graça ao seu pensamento no amor e carinho que o aguardavam em casa. Poderíamos dizer que, embora passasse o dia no escritório, estava no seu próprio lar mesmo durante o expediente, porque seu lar o acompanhava espiritualmente enquanto trabalhava.

Desta forma, podemos permanecer em Deus. Ao reconhecer a sua presença conosco, podemos viver em comunhão com Ele durante o dia inteiro, sem negligenciar sequer um só dos deveres que diariamente nos cabem.

Pode ser que haja na palavra "esconderijo" uma alusão ao lugar santo do templo, em que somente os sacerdotes podiam entrar. Nesse lugar santo, havia a mesa dos pães asmos, simbolizando a comunhão com Deus; os castiçais, simbolizando a iluminação e a revelação; o altar de ouro, simbolizando o ministério da oração e do louvor. Assim sendo, as bênçãos do lugar secreto são a luz, a vida e a oração. E a oração é o segredo de tudo, porquanto onde há oração ali também há luz e vida.

Estamos habitando no lugar sagrado de íntima comunhão, ou estamos passeando um pouco nos pátios exteriores do templo? Os membros de qualquer congregação podem ser basicamente divididos em duas classes: aqueles cujo lar é o mundo e que fazem ocasionais visitas a Cristo, e aqueles que habitam com Cristo e estão de visita no mundo.

2. *A salvação é segurança e sustento.* "Diz o Senhor: Meu refúgio e sustento". Certo homem perguntou, zombando: "Que vantagem tem o homem religioso, comparado comigo? O sol não está brilhando sobre mim tanto quanto sobre ele, neste belo dia?" Veio a resposta: "Sim, mas o crente tem dois sóis que brilham sobre ele ao mesmo tempo - um para iluminar o seu corpo, e o sol da Justiça para iluminar e aquecer a sua alma".

Esta é a verdadeira situação do crente, ainda que às vezes possa ser "contristado por várias provações" no presente, por breve tempo, quando isto seja necessário para o seu bem espiritual ou por causa da obra que realiza em prol de Cristo neste mundo (1 Pe 1.6). O crente pode dizer ao ímpio: "Uma comida tenho para comer, que vós não conheceis" (Jo 4.32); pertenço ao mundo eterno que você não pode ver; tenho fome secreta de felicidade e isto impede que eu seja esmagado pelos fardos deste mundo de canseira".

Isto não significa que busquemos descanso e consolação em Deus a fim de evitar as duras realidades da vida. Pelo contrário, é nEle que procuramos as forças para vencer os problemas de modo abençoado e espiritual. A consolação divina não importa em sermos tratados como nenês manhosos.

Note o contraste em Isaías 46.1-4. Os pagãos tinham de carregar seus deuses nas costas, todavia o Deus verdadeiro é o sustentáculo do seu povo. A nossa religião é um fardo ou um alívio dos fardos?

3. *Reconhecendo as ciladas do Diabo.* "Pois ele te livrará do laço do passarinheiro". Muitas pessoas pecam deliberadamente embora saibam exatamente o que a Palavra de Deus diz acerca do assunto. Outras, porém, caem em ciladas do diabo, cujos conhecimentos traiçoeiros o ensinam a adaptar as tentações a cada personalidade, e o seu estoque delas contém todos os tipos, desde os mais grosseiros até os mais refinados.

Às vezes, o inimigo emprega a cilada do exemplo, como o caçador faz uso da chamariz, que pode ser um pato de plástico flutuando nas águas a fim de atrair bandos de patos selvagens que então serão abatidos. Você talvez conheça alguém que professa grande espiritualidade e conhecimento de assuntos religiosos, e que é muito procurado para as reuniões cristãs. Quando tal pessoa comete um ato duvidoso, e tem uma doutrina estranha, você pode ser tentado a dizer: "Se fulano faz ou pensa assim, que mal pode haver nisso?" O caminho mais seguro para você seguir é receber diretamente do Mestre, Jesus Cristo, toda a doutrina e prática.

Tentações de todos os tipos nos espreitam em todas as atividades da vida, e as mais perigosas são as secretas e invisíveis, que atacam a mente e a alma; se, no entanto, habitamos no esconderijo do Altíssimo, não seremos dominados por elas. Temos a preciosa promessa: "Ele te livrará do laço do passarinheiro". O sentido disto é duplo: Primeiro, protege-nos de entrar na cilada, e, segundo, ajuda-nos a sair dela.

Uma vida baseada na oração e na meditação bíblica é o melhor "programa de rearmamento" para nos preparar a resistir aos ataques do Diabo.

4. A confiança em Deus remove o aguilhão das aflições. O salmo enfatiza a verdade que quem faz sua habitação espiritual em comunhão com Deus tem imunidade de todos os tipos de pecado. Incluem-se nestas promessas as libertações de males externos também, e não somente dos males que estragam nossa vida espiritual. Várias questões são estabelecidas, bem como estas: é fato comprovado que inúmeros cristãos têm sido milagrosamente libertados de perigos físicos de todos os tipos; mas também se pode perceber na experiência que, de modo geral, os cristãos não estão isentos das dificuldades que surgem na vida de todos os seres humanos.

Os que temem a Deus, bem como os que blasfemam o seu santo nome, sofrem acidentes. Durante epidemias, tanto os justos como os ímpios podem adoecer e morrer. Tanto os santos como os pecadores passam por tempos de crises econômicas. Assim surge a pergunta: Qual é a vantagem do homem de Deus, comparado com o homem do mundo?

Sem estabelecer limites às possibilidades da fé milagrosa, o Novo Testamento não garante imunidade contra a adversidade. O que nos oferece é a certeza de que: "Em todas estas cousas, porém, somos mais do que vencedores, por meio daquele que nos amou" (Rm 8.37). A segurança oferecida pelo Salmo 91 é que a maldade presente no mundo nunca poderá atingir aquele a pessoa abrigada sob as asas do Altíssimo. Por exemplo: muitos pagãos foram decapitados na Roma antiga; e Paulo também foi decapitado. Para os pagãos, o castigo capital foi um mal terrível, cortando todos os prazeres da vida e levando a alma ao estado de desespero e de trevas eternas. Para o apóstolo, a morte não era nenhum mal - era a porta de entrada para o reino da luz (2 Tm 4.6,18). Durante um naufrágio, uma pessoa confia totalmente em Deus, e outra pessoa zomba de tal idéia. É somente a primeira destas pessoas que se aplica a promessa: "Nenhum mal te sucederá".

A total confiança em Deus remove o aguilhão de todas as calamidades. A proteção divina remove o curare da ponta das flechas; podem machucar, mas não podem envenenar e fazer apodrecer a nossa carne. As águas dos esgotos deste mundo podem chegar até nós, porém Deus as faz passar pela filtragem e pela purificação antes de penetrarem em nossa vida (2 Co 4.17,18).

5. A fé e a crença em ação. "Sob suas asas estarás seguro". Você pode acreditar nisso, intelectualmente, sem refugiar-se na prática quando o perigo realmente chega. Na história bíblica antiga, alguém poderia crer sem dúvida alguma que havia uma cidade de refúgio por perto, mas, na hora de ser perseguido pelo vingador, não seria preservado da morte violenta se não corresse com todas as suas energias para chegar em tempo nessa cidade. Você pode entender o significado dalguma verdade sem aplicar à sua própria vida a realidade que aquela verdade contém. Tantas pessoas sabem que Deus é um refúgio sem se lançarem totalmente nos seus braços, confiando aos seus cuidados tudo quanto há na vida delas. Mediante a fé, você toma posse da salvação comprada por Cristo para você, morrendo em seu lugar (Hb 7.18). Por que Israel perdeu a bênção de ser recolhido sob as asas do Senhor? (Mt 23.37). Em 2 Timóteo 2.22 há um excelente dispositivo de segurança.

6. "Não te assustarás". Devemos distinguir três tipos de medo. O primeiro é o medo sadio, o sinal vermelho da natureza que nos adverte da presença do perigo. Este medo é uma bênção quando nos leva a procurar proteção em tempo. Sem ele, dificilmente poderíamos sobreviver neste mundo. Em segundo lugar, há o medo exagerado que, embora baseado nalgum perigo real, nos paraliza com terror e enche de angústia a nossa vida. Em terceiro lugar, há o medo mórbido que atormenta, e que geralmente é imaginário e sem base. Tais temores são tão antigos quanto a raça humana, mas hoje em dia recebem algumas etiquetas dadas pela medicina e pela psicologia, tais como:

a) O histerismo. É uma condição que pode imitar os sintomas de quase todas as doenças, e que produz o tipo de pessoa chamado hipocondríaco, alguém que sempre imagina estar sofrendo dalguma enfermidade e que passa os seus dias consultando os médicos que procuram em vão acalmar seus temores com respeito aos sintomas imaginários. Na vida religiosa, há os hipocondríacos espirituais, que, na sua procura da santificação, sempre olham dentro de si ao invés de olharem para Cristo, o autor da nossa santificação. Tais pessoas ficam sendo vítimas da convicção de sua própria condenação, imposta por elas mesmas e que perpetuamente as tormenta. A esta classe pertencem quaisquer crentes que imaginam ter cometido o pecado imperdoável.

b) A neurose da ansiedade. A opressão por algum medo horrível, cujo objeto, razão de ser, ou significado não sabemos explicar.

c) A fobia. O medo dalgum objeto inocente que nenhum dano pode nos fazer.

d) A obsessão. A opressão por pensamentos que não fazem parte da nossa personalidade, pensamentos que achamos nojentos e dos quais desejamos recuar com horror.

e) A compulsão. O desejo inistente de fazer alguma coisa louca ou absurda, como, por exemplo, a tendência ao suicídio que se revela em muitas personalidades.

f) O nervosismo. As características gerais do nervosismo são a insatisfação, a sensação de ter sido abandonado aos seus próprios recursos, a preocupação, o menosprezo a si mesmo, a falta de interesse nos acontecimentos e o pessimismo, que é sempre olhar as coisas pelo aspecto sombrio.

Para estes temores, e para todas as demais formas de medo, Deus graciosamente ofereceu o remédio espiritual, como se percebe pelo fato de ocorrer tantas vezes nas Escrituras a expressão: "Não temais", a exortação encorajante da parte dos mensageiros de Deus.

Para banir os temores da sua vida, medite um pouco nos seguintes assuntos:

1º) Até que ponto seus temores e ansiedades são úteis? Imagine todo o seu medo do passado empilhado para formar uma montanha. A soma total de todas as suas preocupações não valeu nada. Agora, tome na sua mão uma pequena semente. Enquanto você olha para ela, lembre-se de que uma quantidade de fé não maior do que esta semente bastaria para fazer algo bem mais construtivo do que toda aquela montanha de ansiedades acumuladas. Olhe outra vez aquela montanha, e escute as palavras de Jesus: "Se tiverdes fé como um grão de mostarda, direis a este monte: Passa daqui para acolá, e ele passará" (Mt 17.20).

2º) Enfrente seus temores. Se algum temor fica espreitando você no quintal da sua casa espiritual, você fica tentado a pegá-lo rapidamente e enfiá-lo no porão - ou seja, reprimi-lo. O temor, deixado ali, vai minar os alicerces da sua casa e, lá em baixo, vai soltar gases venenosos que estragarão a atmosfera da paz espiritual no lar. Não! Você deve convidar o temor para a sala, examiná-lo sob a plena luz da razão, para então expulsá-lo abertamente pela porta da frente. Quando você examina criticamente os seus temores, na luz da fé e com santa calma, você descobre que muitos deles vão se encolhendo até desaparecer. O que parecia ser uma onça feroz acaba revelando ser apenas um gatinho; o que parecia uma montanha acaba mostrando ser apenas um cupim; o que se erguia diante de você como sólida ameaça acaba sendo uma sombra sem substância alguma. Revestido pelo poder do nome de Jesus, enfrente e expulse os demônios do medo!

3º) O poder expulsivo do amor divino. Você acha que precisa da ajuda de fora para expulsar aquelas preocupações e ansiedades? Então, escute estas palavras: "O perfeito amor lança fora o medo" (1 Jo 4.18). É o amor de Deus que age como oficial da justiça para expulsar o ladrão intruso da sua felicidade - o medo. Quando surge qualquer problema, vai ver na chave bíblica a palavra "amor" e pergunte a si mesmo: "Qual é a mensagem que o amor de Deus tem em relação a este medo, esta preocupação, esta depressão?" Por exemplo, existe na vida algum temor que você não pode agüentar como crente? Então leia a mensagem do amor de Deus em Romanos 8.35-39. Enquanto você exerce sua fé nesta mensagem, e outras tantas que descrevem o amor de Deus, o medo se esconderá e vai recuando para longe da luz inapagável do amor de Deus em Cristo Jesus nosso Senhor.

4º) A hora bendita da oração. Depois de você expulsar os temores, as preocupações e as depressões, Deus lhe dará uma sentinela celestial para barrar o caminho a qualquer intruso que queira entrar no seu coração. Este protetor é chamado *a paz de Deus,* e é enviado para você em resposta à oração da fé. Como está escrito: "Não andeis ansiosos de cousa alguma; em tudo, porém, sejam conhecidas diante de Deus as vossas petições, pela oração e pela súplica, com ações de graça. E a paz de Deus, que excede todo o entendimento, guardará os vossos corações e as vossas mentes em Cristo Jesus" (Fp 4.6,7).

7. Anjos da guarda (vv 11, 12). A Bíblia nos ensina que Deus tem, à sua disposição, incontáveis criaturas espirituais, cheias de vitalidade, de grande poder, ricas em conhecimento, com vasta variedade. Estas criaturas são os anjos, os mensageiros celestes. São chamados espíritos porque, diferentemente dos homens, não estão limitados às condições físicas e naturais. Aparecem e desaparecem quando querem, e viajam com indescritível velocidade sem o concurso de quaisquer meios naturais. Embora sejam espíritos, possuem o poder de assumirem a forma do corpo humano a fim de fazer com que os sentidos humanos possam captar a presença deles (Gn 19.1-3).

São anjos da guarda que, segundo o salmo nos informa, nos guardam em todos os nossos caminhos. Existem caminhos que não são permitidos por Deus: o caminho da presunção, o caminho da soberba, o caminho da desonestidade, o caminho do mundanismo, o caminho da falsa doutrina etc. Tais caminhos não estão incluídos na promessa, e não podemos esperar que Deus nos proteja em locais onde somos proibidos de freqüentar (Mt 4.6,7). Os cuidados divinos nos serão dados na medida em que seguimos os caminhos da fé, da obediência, da humilde confiança, do serviço cristão consagrado, da mais completa integridade e da santa separação.

É um trabalho mui digno de um anjo, vigiar os filhos de Deus que vão tropeçando. Nós, como cristãos, também devemos nos dedicar a zelar pelo bem espiritual dos nossos irmãos na fé. Quando temos a oportunidade, devemos ser fortes para apoiá-los. Repudiar nosso irmão quando tropeça num erro, é o oposto daquilo que os anjos fazem.

8. A vida vitoriosa. "Pisarás o leão e a áspide, calcarás aos pés o leãozinho e a serpente". Estas palavras têm um sentido literal. Davi matou o leão e um urso na defesa das suas ovelhas. Daniel foi liberto do covil de leões, e Paulo sacudiu da sua mão uma serpente venenosa sem sofrerem dano algum. Na vida diária da maioria de nós, porém, são as feras, atacantes da vida espiritual, que mais nos ameaçarão: "as paixões carnais que fazem guerra contra a alma" (1 Pe 2.11); e "o pecado que tenazmente nos assedia" (Hb 12.1).

Quando você se converte a Cristo, seus pecados são perdoados e a sua velha natureza é crucificada com Cristo. O rompimento com o pecado é tão completo que é chamado "morrer para o pecado" (ler Rm 6). Mesmo assim, é um fato da experiência que, mesmo depois da conversão, certos traços da antiga vida se tornam ofensivamente evidentes. É nessas horas que você, como cristão, precisa apelar para a promessa: "Pisarás o leão e a áspide"; ou, nas palavras de Paulo, "...o pecado não terá o domínio sobre vós".

Como pode você, como cristão, pisar aquelas feras que às vezes ficam de espreita nas cavernas profundas da alma? Mediante a oração, você convoca o socorro do Espírito Santo (Rm 7 e 8). E, enquanto o Espírito Santo tem entrada na sua vida, o pecado vai fugindo. Assim como o vigor da seiva que sobe às árvores na primavera força as folhas velhas a se desligarem, apesar de terem ficado coladas durante todos os ventos fortes do inverno, assim também o Espírito Santo, que habita em você, força para longe as imperfeições e hábitos da antiga vida. "Graças, porém, a

Deus que em Cristo sempre nos conduz em triunfo, e, por meio de nós, manifesta em todo lugar a fragrância do seu conhecimento" (2 Co 2.14).

9. Deus corresponde à nossa fé. "Porque a mim se apegou com amor, eu o livrarei; pô-lo-ei a salvo, porque conhece o meu nome. Ele me invocará, e eu lhe responderei". Deus envia sua resposta à pessoa que se apega a Ele em pensamento, em amor, em obediência. Esta comunhão com Deus é algo que continua dia após dia, e o dia inteiro. Deus sempre se faz presente para abençoar aqueles que oram a Ele, entretanto nós temos a tendência de ficar frouxos e frios em nossa vida espiritual, deixando de levar a Ele os nossos clamores. A espiritualidade não é matéria de sorte - temos de buscar a Ele de tal maneira que as outras coisas tomem lugar secundário. Ficando sempre bem pertos de Deus, temos a promessa: "Eu o livrarei". Embora cercados por todos os tipos de dificuldades, podemos dizer: "Se Deus é por nós, quem será contra nós?"

10. "Saciá-lo-ei com longevidade". Alguns santos servos de Deus morrem bem jovens; alguns dos piores pecadores vivem até à velhice avançada. São fatos da experiência que se podem notar. Mesmo assim, podemos declarar com confiança que uma vida piedosa de fidelidade a Deus tende a promover uma vida longa. E por que? Porque a verdadeira religião faz com que o zelo pela nossa saúde seja um dever positivo cristão. O cristianismo protesta contra aquelas dissipações que destroem a alma e o corpo; cancela as nossas preocupações com respeito às coisas materiais; remove todo o peso da angústia quanto ao nosso destino eterno, porquanto o dom da vida eterna que Cristo nos deu é irrevogável, reservado para nós no céu; e, sobretudo, dános a preciosa promessa em Tiago 5.14,15, acerca da cura divina.

14

Um Convite à Adoração

Texto: Salmos 95 e 100

Introdução

Quando o ser humano contempla o enorme universo que o cerca, sente estar na presença de um mistério profundo e enorme. Após a meditação e investigação, chega a reconhecer Deus, Criador dos céus e da terra, como a chave deste mistério. Depois, aprende que Deus não é uma mera influência ou presença; é verdadeira Pessoa. O ser humano estende a mão àquela Pessoa, procurando comunhão e salvação. Mediante a graça de Deus, forma-se um contato entre o homem e a divindade. É isso que se chama religião. Para manter esta união, a pessoa ora, canta, contribui com ofertas, curva seu coração e dobra seus joelhos diante de Deus. É isso que se chama adoração, ou prestar culto, a atividade mais sublime praticada por alguém.

Nos Salmos 95 e 100 escutamos os sinos de ouro tocando para nos convocar à oração.

Salmo 95: Convite e Exortação

Este salmo tem sido chamado o "Salmo de Convite", principalmente porque, fervorosamente, nos conclama à adoração e ao louvor. Ao mesmo tempo, o convite é igualmente sincero quanto ao ouvir a voz de Deus e crer naquilo que Ele diz.

1. Um convite com as razões. Como o sonido jubiloso de uma trombeta, soa o convite à adoração. "Vinde, cantemos ao Senhor, com júbilo, celebramos o Rochedo da nossa salvação. Saiamos ao seu encontro, com ações de graça, vitoriemo-lo com salmos". O culto, que os antigos israelitas prestavam a Deus, caracterizava-se pelo barulho e pelos modos espontâneos. Clamar alto era considerado um sinal profundo de sinceridade de coração (2 Cr 20.9; Ed 3.13; Ne 12.42).

Por que devemos adorar a Deus? Porque só Ele tem suprema grandeza, é o único Deus, infinitamente exaltado sobre os assim-chamados deuses dos pagãos. Ele deve ser adorado pelo seu grande poder (vv. 4,5), e pela sua bondade (v. 7). Prestamos culto a Ele porque é nosso Rei, nosso Criador e nosso Pastor.

O v. 6 canta o tema do salmo: "Vinde, adoremos e prostremo-nos; ajoelhemos diante do Senhor que nos criou". O ser humano tem corpo e alma, e, na verdadeira adoração, tudo coopera. Você curva o seu coração e dobra o joelho; você levanta as mãos, e ergue o coração.

2. Um convite com advertências. Os salmos, além de serem uma expressão de adoração pública, e matéria para meditação espiritualmente individual, também são para ensinar e advertir. Aqui, o convite à adoração é seguido por um aviso contra a apostasia e a frieza espiritual: "Oxalá ouvíssemos hoje a sua voz! Não endureçais o vosso coração, como em Meribá, como no dia de Massá, no deserto". Ressalta-se a palavra "hoje", para demonstrar o caráter crítico do momento e relembrar que talvez aquela fosse a última oportunidade para alguns dos ouvintes; os fugazes minutos oferecem uma oportunidade para a entrega do coração e para a obediência à voz divina. Os ouvintes devem se lembrar da experiência dos seus antepassados no deserto, e aprender a lição de que os corações, que seguem caminhos desviados, nunca poderão ter paz. A vereda que leva à calma é traçada por Deus, e somente aquelas que a palmilham, com corações enternecidos, escutando atentamente à sua voz, acharão repouso pela viagem afora, e chegarão finalmente ao país de eterna felicidade.

Salmo 100: Adoração e Júbilo

I - O Convite à Adoração

1. Adoração alegre. "Celebrai com júbilo ao Senhor, todas as terras. Servi ao Senhor com alegria". O "júbilo" se refere a um grito de alegria, tal como a aclamação que o povo leal oferece ao presidente quando aparece no meio dos seus súditos. Os adoradores em Israel faziam questão de uma religião cheia de júbilo; a alegria no Senhor é um dos aspectos mais marcantes dos salmos, que é o hinário inspirado do povo de Deus. Você pode perceber três motivos para a adoração jubilosa: (1) Esta adoração é de acordo com a própria natureza de Deus. A palavra "bem-aventurado" ou "bendito" se refere a uma grande felicidade sobrenatural, e quando Paulo descreve "o evangelho da glória do Deus bendito" (1 Tm 1.11), refere-se a este aspecto específico de Deus (Sf 3.17; Dt 30.9; Is 62.4,5; 65.19; Jr 32.41; Lc 15.5,6,23,32). O Deus feliz deseja adoradores felizes. Que tipo de empregado você gostaria de ter. Um emburrado ou um que faça seu serviço cantando de alegria? (2) O júbilo santo é uma tônica espiritual. "A alegria do Senhor é a vossa força" (Ne 8.10). Shakespeare escreveu: "O coração alegre está disposto o dia inteiro, mas o coração triste se cansa no primeiro quilômetro". (3) O bom ânimo e a alegre disposição recomendam o Evangelho aos outros. Um antigo provérbio chinês declara: "Aquele que cuida duma venda precisa sorrir". O mesmo se pode dizer daqueles que fazem "promoção de venda" do Evangelho que nada custa ao povo, mas que vale mais do que qualquer mercadoria humana.

2. *O culto com cânticos.* "Apresentai-vos diante dele com cânticos". O cristão é aquele que tem mais direito de cantar do que qualquer outra pessoa no mundo, porque a religião que você tem como crente em Cristo é a mais alegre que existe. O Novo Testamento começa com o júbilo dos anjos que anunciam o nascimento de Cristo e termina com a descrição das incontáveis multidões cantando aleluias Àquele que venceu o pecado, a morte e o diabo. O cristianismo é uma religião de cânticos, porque é a religião do júbilo, e este júbilo surge da mensagem da salvação baseada na obra completa e irrevogável de Cristo. O maometismo não possui cânticos; o budismo nunca teve hinos de louvor, embora tenha começado recentemente a copiar os hinos cristãos, colocando o nome de Buda onde o texto menciona Cristo. Qual é a base das canções dos fiéis? Veja Salmo 40.2.

3. *O culto de alcance mundial.* A chamada é endereçada a "todas as terras". Profeticamente, o salmista se refere a um período durante o qual não somente os judeus antigos, mas pessoas de todas as raças adorarão a Deus. Com a vinda de Cristo, o Messias prometido ao povo judeu passa a ser o Salvador de todos os que crêem, e nisto já não há mais distinção entre judeu ou grego, bárbaro ou civilizado, homem ou mulher.

4. *O culto com gratidão.* "Entrai por suas portas com ações de graça, e nos seus átrios com hinos de louvor; rendei-lhe graças e bendizei-lhe o nome". Você poderá cair no erro de sempre ir cantando em tom menor algum triste lamento fúnebre na presença de Deus; o hábito certo que Deus quer para você é que sempre procure algum motivo de cantar louvores alegres a Ele. Você pode achar motivo de gratidão a Deus em todas as circunstâncias da sua vida

(Rm 8.28). Uma atitude de gratidão para com Deus é um importante meio de graça. Foi justamente a falta de gratidão e louvor a Deus que formou o primeiro grande passo na apostasia total das nações pagãs (Rm 1.21).

Muitas pessoas confundem o louvor com ações de graças; nas orações de gratidão, narramos aquilo que Deus fez por nós, e seus dons ficam ainda mais preciosos quando reconhecemos que eles são a prova do amor individual dedicado por Deus a cada um de nós, trazendo à memória a pessoa do Doador, assim como um anel pode ser a lembrança dalgum ente querido longínquo. O louvor, no entanto, é um exercício ainda mais sublime da alma piedosa, pois narra aquilo que Deus é. A relação entre as ações de graças e o louvor é a mesma que há entre a oração e a intercessão; é a "Glória nas Alturas"; o louvor dá graças a Deus por aquilo que Ele é, fica silencioso no íntimo da nossa alma, porquanto a forma mais sublime de culto é curvar nosso próprio ser diante de Deus e ficar a contemplá-lo em admiração e adoração. Algumas pessoas adiam suas expressões de adoração até chegarem no céu para prestarem culto a Deus acompanhadas pelos anjos, mas a verdade é que o verdadeiro louvor espiritual pode ser aprendido aqui na terra, no templo que é a igreja, e no templo do Espírito Santo que é a nossa pessoa.

II - A Razão da Nossa Adoração a Deus

O salmista passa a apresentar algumas razões que devem levar você a adorar a Deus, *Ele é o Deus verdadeiro.* "Sabei que o Senhor é Deus". O Deus descrito na Bíblia é o Deus verdadeiro, totalmente contrastado com os ídolos dos pagãos, que nada mais são do que a invenção das suas imaginações corruptas e a glorificação das suas próprias concupiscências - tudo isso com a ajuda da inspiração demoníaca. A tragédia da história humana é que, embora Deus tenha criado o homem à imagem dEle, os homens ingratos têm preferido fazer deuses segundo a imagem deles.

1. Ele é o Criador. "Foi ele quem nos fez e dele somos", ou: "Foi ele quem nos fez e não nós". É muito justo que a criatura reverencie o Criador. Alguns vivem como se tivessem criado a si, os homens que "se fizeram" na vida, e quase chegam a prestar culto divino a este suposto criador que é o seu próprio eu. Como cristão, porém, você reconhece que Deus, e somente Deus, é a fonte única de tudo de bom que você é ou possui. Você tem de abrir mão de qualquer honra ou glória para a sua própria pessoa - isto é uma parte essencial do culto prestado a Deus, tão essencial quanto à glorificação a Ele. "Não a nós, Senhor, não a nós, mas ao teu nome dá glória, por amor da tua misericórdia e da tua fidelidade" (Sl 115.1).

2. Ele é o nosso Pastor. Deus não somente nos criou, como também nos preserva, sustenta e fortalece. O Deus da Bíblia é o bom Pastor que nos guia, nos alimenta e nos dá repouso. "Somos o seu povo, e rebanho do seu pastoreio". Vivemos debaixo do seu governo sábio, santo e poderoso.

3. Ele é bom. "Porque o Senhor é bom, a sua misericórdia dura para sempre". Deus é o valor supremo do universo inteiro; tudo quanto é bom, certo, virtuoso, belo e digno tem nEle a sua origem. Em seus atos de culto e adoração, você reconhece isto. Se você não tem nenhuma palavra de louvor por aquilo que é bom, é sinal da falta de bondade em sua própria vida.

4. Ele é misericordioso. "A sua misericórdia dura para sempre". A justiça de Deus é benéfica e cheia de misericórdia; sua condolência se estende a todos aqueles que nada têm para alegar senão sua total dependência do perdão e da bondade dEle.

5. Ele é fiel. "De geração em geração a sua fidelidade". Deus não é como o ser humano volúvel, que promete uma coisa em certa ocasião, e depois se esquece; Deus é o mesmo que era no passado, e continuará o mesmo. Um Deus mutável nos deixaria sem âncora firme neste mundo. Não teríamos base nem começo da vida espiritual se não tivéssemos em primeiro lugar a certeza da nossa salvação.

III - Ensinamentos Práticos

1. O significado do culto. O culto é o ato de adoração prestado àquEle que é digno de todos os nossos louvores e agradecimentos (Ap 4.10,11). A palavra hebraica que descreve a adoração literalmente significa prostrar-se em terra, segundo o costume oriental de ajoelhar-se até fazer a testa tocar na terra (Js 5.14; Ap 4.10; Lc 5.12). A adoração fica sendo uma realidade quando a nossa alma acompanha os movimentos do corpo e se curva em humildade diante do Criador, de tal maneira que os nossos gestos no culto se transformam em expressões naturais das nossas emoções religiosas íntimas.

A adoração é a atividade mais sublime realizada por você; é um dos maiores privilégios que você pode desfrutar nesta vida. Quando você está adorando, fica meditando acerca de Deus, com enlevo espiritual, pensando nEle como Onipotente, Onisciente, Onipresente, Eterno, Infinito e perfeito Deus, Deus de toda a santidade, misericórdia e graça, aquEle que é totalmente belo e digno. Depois, você reúne toda a sua alegria, obediência, confiança, reverência, homenagem e admiração, todo o seu amor e enlevo espiritual, e coloca a soma total disto tudo no altar de Deus, fazendo com que suba diante dEle no fogo de intensa devoção, no ardor do holocausto de sacrifício do louvor. A verdadeira adoração é o espírito humano prostrado diante do eterno Espírito. Quando você adota esta atitude, você pode sentir o significado mais profundo das palavras: "Santificado seja o teu nome".

Jesus ensinou que devemos nos tornar como crianças a fim de entrar no reino dEle. Vou, portanto, pedir a você que leia estas palavras tiradas de um sermão para crianças: "Você sabe o que quer dizer a palavra "adoração"? Significa que você mostra a Deus, ou conta a Deus, o quanto você acha que Ele é maravilhoso. Você deixa Ele saber, pelas suas palavras e pelos seus atos, que você o considera a Pessoa mais maravilhosa que pudesse existir. Deus realmente é maravilhoso, não é? Não existe ninguém como Ele. Ele é bom, amoroso, gentil, grandioso e poderoso, e quer ajudar você na sua vida espiritual. Nenhum ser humano poderia chegar a ser tão grandioso e glorioso como Deus. Cada vez que você procura mostrar a Deus como você o considera poderoso e bondoso, está prestando culto a Ele. Há muitas maneiras de fazer isto. Você pode orar a Ele e dizer-lhe quanto o ama. Ou pode cantar hinos de louvor a Ele. Ou, ainda, pode meramente ficar sentado quieto, escutando atentamente à sua Palavra, porque esta é uma prova de que você o respeita e dá honra a Ele".

Em muitos cultos, nas igrejas, a parte de cantar hinos, orar e participar da adoração é reduzida a um mínimo; fica sendo a "liturgia", ou a "parte introdutória" para ser liquidada o mais rápido possível. O culto ideal na igreja deve ser uma combinação de adoração inspirada por parte do povo e pregação inspirada por parte do pastor.

2. *Meios de adoração.* A essência da adoração é reconhecer a presença de Deus na sua vida, e relacionar a sua vida àquela presença. "Nele vivemos, e nos movemos, e existimos". Você presta culto a Deus baseado na confiante dependência da tremenda verdade da sua presença em todos os lugares e a todo o tempo, fazendo impressão na alma e no mundo visível por muitos meios diferentes, pelo derramamento do puro e concentrado amor de Deus, que pede da sua parte a sua devoção total. Assim como a vida física que você tem depende do constante contato com seu ambiente físico, assim, também a sua vida espiritual depende do seu contato com o ambiente espiritual, a comu-

nhão com Deus. "E a vida eterna é esta: que te conheçam a ti, o único Deus verdadeiro, e a Jesus Cristo, a quem enviaste" (Jo 17.3). Como você pode se relacionar com esta presença de Deus que se revela neste mundo?

- *Através da meditação.* Quando você medita, pensa nos assuntos de Deus não somente para estudá-los e aprendê-los, mas também para apreciá-los e permitir que eles influenciem a sua vida. Você pode adorar a Deus não somente com a sua voz, como também com o silêncio do seu coração e da sua mente.

- *Por meio da oração.* A oração significa que você faz a sua vida inteira inclinar-se em direção a Deus, ansioso por sentir a comunhão com Ele, e reconhecendo o quanto você precisa dEle. É a conversa entre a sua alma e o eterno Espírito. Nesta atitude geral de oração incluem-se a petição, as ações de graças, a confissão e a intercessão.

- *Pelo cântico* (Cl 3.16). Quando o coração está comovido com emoções de adoração, você não pode achar melhor maneira de expressar sua devoção do que mediante a música e canção espirituais. Não admire que o avanço espiritual da igreja tenha sido acompanhado pela música de louvor espiritual. Os hinos vigorosos de Lutero tinham tanto conteúdo vital, espiritual e teológico quanto os seus escritos que tanta coisa fizeram para implantar a Reforma. O reavivamento wesleyano ainda sobrevive em nosso meio através dos hinos de Charles Wesley. Os hinos de Sankey captam o espírito que imperava durante as campanhas de Moody, relembrando o fervor espiritual que estava presente durante aquelas reuniões.

O mais importante de tudo, porém, é que você cante do fundo do coração "entoando e louvando de coração ao Senhor". É muito importante cantar aquilo que temos no coração, e colocar no coração aquilo que cantamos nos cultos.

• *Pela leitura das Escrituras.* A leitura das Escrituras tinha um papel de destaque na igreja primitiva - ainda hoje permanece esse mesmo valor - pois trata-se da própria Palavra de Deus. Infelizmente, em muitas igrejas você pode ouvir apenas alguns poucos textos avulsos. Porções apropriadas das Escrituras, lidas com a expressão piedosa da unção da fé, podem ser uma bênção para a congregação. Além disso, as leituras feitas assim publicamente honram a Bíblia como base suprema da fé e da prática.

• *Participação da Santa Ceia do Senhor.* Como dramatização ou demonstração visível da obra de Cristo, que morreu na cruz para expiar os nossos pecados e nos dar a vida eterna mediante o sacrifício dEle, a Ceia do Senhor tem o poder de despertar em você a mais profunda adoração. Isto porque a maior reinvindicação que Cristo tem sobre a sua adoração é o fato de ter morrido por você. Apocalipse 5 mostra quais sentimentos o Espírito Santo quer inspirar em seu coração durante a participação na Santa Ceia do Senhor.

• *As contribuições e ofertas.* A contribuição dada por você é um ato de culto porque é assim que você revela reconhecer Deus como dono de todas as coisas (Sl 24.1). Enquanto você apresenta a sua oferta, pode dizer, juntamente com Davi: "Porque tudo vem de ti, e das tuas mãos to damos" (1 Cr 29.14). A verdadeira adoração sempre inclui alguma forma de *dar*: Você dá sua própria pessoa (Rm 12.1; 2 Co 8.5), e você dá dos seus bens (2 Sm 24.25).

3. A atitude correta para a adoração. "Seja feita a tua vontade, assim na terra, como também no céu". Em que atitude as hostes de anjos se aproximam do Criador? Você pode ver a resposta na descrição que Isaías teve do trono de Deus: "Serafins estavam por cima dele; cada um tinha seis asas: com duas cobria o rosto, com duas cobria os seus pés e com duas voava" (Is 6.2). A palavra "serafins" significa literalmente "seres que ardem", o que sugere o esplendor brilhante, o amor ardente e o entusiasmo caloroso que sentiam estes mensageiros de Deus. Não pode haver gelo na presença de Deus, e quanto mais perto dEle ficamos, tanto mais ardemos com calor e fogo espiritual. A religião fria é uma contradição em si mesma, embora infelizmente, é comum entre muitas pessoas que se chamam de cristãos.

Considere agora a atitude de adoração destes anjos:

1º) As asas que cobriam o rosto sugerem a profunda reverência. Através de Cristo, você foi levado à comunhão muito íntima e profunda com Deus. Você tem o espírito da adoção mediante o qual você clama: "Aba, Pai". Isto não deve, porém, enfraquecer na sua consciência o conceito que você tem da majestade, separação, glória e esplendor que são atributos da natureza de Deus. O coro de "Santo, santo, santo" é uma declaração de que Deus está muito elevado e sublime, bem acima das limitações e imperfeições do homem finito.

A igreja é a casa de Deus, onde seu Espírito Santo se manifesta de maneira especial. Será que você assume na igreja atitudes tais que demonstram que você realmente crê nesta verdade solene?

2º) As asas que cobriam os pés sugerem a humildade. A visão direta de Deus fazia com que os próprios anjos sentissem a sua indignidade como simples criaturas. Quanto mais perto de Deus você fica, mais vai sentir a consciência de quão pequeno e imperfeito você é diante de Deus. Quando você recebe uma única visão da glória de Deus, lá no íntimo do seu coração, todo o orgulho vai-se derretendo; desaparece qualquer idéia de você possuir superioridade sobre outras pessoas. Todos nós, como pequenos vermes diante de Deus, temos o mesmo tamanho. Veja em Lucas 18.9-13 a diferença entre a adoração a Deus e a adoração ao próprio eu.

3º) As asas com as quais os anjos voavam sugerem a idéia de serviço. Quando você contempla a Deus com o sentimento de reverência a Ele e da sua própria indignidade, você se sentirá impulsionado ao sair para realizar as tarefas que Ele lhe impõe. O fim prático do culto prestado a Deus é inspirar você a praticar a vontade de Deus. É claro que você não pode voar alto a grandes velocidades como os querubins, mas pode e deve "correr com perseverança a carreira que lhe está proposta" (Hb 12.1).

4. A adoração total. A adoração total inclui:

a) O intelecto. Você deve amar ao Senhor seu Deus com toda a sua mente, e isto inclui prestar culto com entendimento. O culto prestado em ignorância não agrada a Deus (Jo 4.22; Atos 17.23). Será que até as pessoas batizadas com o Espírito Santo podem cair no erro de deslisar mecanicamente para as "vãs repetições"? (Mt 6.7).

b) As emoções. A exortação que diz que você deve amar a Deus com todo o seu coração abrange todas as suas emoções. A verdadeira adoração a Deus não pode ser confiada a alguma forma externa e rígida. Quando o espírito humano entra em comunhão íntima com Deus, as águas da emoção forçosamente terão de correr e transbordar (Sl 84.1; 2 Sm 6.14). Na igreja primitiva, esta espontaneidade de emoções se expressa na prática de orarem em uníssono. "Ouvindo isto, unânimes levantaram a voz a Deus e disseram..." (At 4.24).

c) A vontade. Você deve amar ao Senhor seu Deus com todas as suas forças. A adoração verdadeira leva você a ser uma pessoa melhor em todos os aspectos. A melhor maneira de cultuar a Deus consiste em você colocar todas as atividades da sua vida diária no altar de Deus, de tal modo que nenhuma parte da sua vida fica sem a presença de Deus, deliberadamente aceitada (Rm 12.1). A adoração que você oferece a Deus em louvor à sua bondade e ao seu amor deve também se revelar na bondade e no amor que você oferece ao seu próximo. Jesus disse não estar interessado em atos de culto até que você tenha colocado em pratos limpos qualquer coisa que tenha feito para ofender o seu irmão (Mt 5.23-24).

Esta aplicação da adoração à vida diária não significa que você está isento da suas devoções particulares. Realmente, você sentirá tremenda dificuldade em colocar Deus no centro das suas atividades diárias se você não procurar momentos silenciosos de comunhão com Ele que encherão a sua vida com os rios de águas vivas.

d) *A adoração completa inclui a atividade do Espírito Santo.* Em certas ocasiões, o Espírito Santo faz um impacto tão direto sobre o espírito humano, que o adorador é levado para fora de si mesmo, numa condição de êxtase espiritual. Pode ficar sacudido pelo poder sobrenatural. Nesta condição de êxtase, experimenta uma vívida consciência da presença de Deus; pode falar em outras línguas na sua êxtase, ou talvez lhe seja concedida uma visão. Leia a descrição das experiências de Ezequiel (Ez 8.1-3), de Isaías (Is 6), de Pedro (At 10.10), de Paulo (At 22.17) e de João (Ap 1.10).

A adoração extática no Espírito Santo é vinculada à experiência de batismo no Espírito Santo. No Dia de Pentecostes, os discípulos anunciaram, em estado de êxtase espiritual, "as grandezas de Deus" (At 2.11). A igreja primitiva tinha bastante experiência de orar e de cantar com o entendimento, e também de orar e de cantar no Espírito, ou seja, em outras línguas conforme o Espírito inspirava os adoradores (1 Co 14.15,16).

O famoso teólogo anglicano Farrar escreveu um livro em linguagem popular, baseado nas Escrituras, nas tradições da igreja antiga, e nas pesquisas históricas. Em certo capítulo do livro ("Darkness and Dawn" - Trevas e Aurora), decreveu uma visita típica de um príncipe romano a uma casa de oração dos cristãos.

"E agora, uma voz tal qual nunca ouvira antes - um som inexplicável e com origem fora deste mundo - não somente atingiu os seus ouvidos como também parecia sacudir o seu coração. Era impressionante na sua gama de notas musicais, nas suas tonalidades, nas suas modulações, no seu poder marcante, penetrante e atraente. Embora nada pudesse entender das palavras cantadas, a mensagem parecia-lhe a mais pura eloqüência de enlevo espiritual, deixando-o emocionado com êxtase e convicção espiritual. E, dentro de poucos momentos, outras vozes entraram no coral sobrenatural. As palavras que cantavam eram sublimes, intensas, cheias de paixão religiosa e significado místico. Não se tratava dalguma língua humana conhecida, mas sim dalguma língua misteriosa que parecia ser a essência e a idéia de todas as línguas. O conteúdo dos pensamentos do cantor pareciam ser a expressão de êxtase, de maravilhado espanto diante de Deus, de gratidão, de súplica, dalgum salmo apaixonado. Não falavam uns aos outros, nem à congregação reunida - suas palavras inspiradas eram dirigidas a Deus... Não havia tumulto desorganizado nas várias vozes. Eram apenas expressões diferentes e harmoniosas da mesma êxtase sobrenatural - ecos despertados em várias consciências da mesma e única emoção espiritual intensa".

15

O Amor e a Misericórdia do Senhor

Texto: Salmo 107

Introdução

Este salmo canta os amorosos cuidados que Deus dispensa para libertar os homens de todos os tipos de perigos e calamidades. Descreve os diversos incidentes da vida humana, os muitos problemas aos quais os seres humanos são sujeitos, e a bondade de Deus em livrá-los de todos eles. Conclama a todos aqueles que já passaram por alguma experiência sobrenatural da intervenção divina em sua vida a reconhecer com gratidão o que Deus fez por eles, e a procurar ficar perto dEle em todos os seus caminhos.

A lição principal deste salmo pode ser resumida da seguinte forma: Deus vigia a vida humana, e os seus ouvidos captam nossos gritos por socorro. Quando há angústias enfrentadas pela fé, logo tudo se transforma em triunfo e louvor, pela graça de Deus.

O escritor, sob a inspiração do Espírito Santo, descreve uma série de calamidades selecionadas no meio da grande abundância de provações que atacam os que vivem nesta terra. Seja qual for o nosso problema, a saída é a mesma - a oração da fé dirigida a Deus.

I - O Viajante Aflito (vv. 1-9)

O primeiro cenário é o de uma caravana perdida no deserto. Na descrição deste grupo de viajantes, ressaltam-se duas circunstâncias: a perda de qualquer trilho e a necessidade que passavam por falta de água e comida.

"Rendei graças ao Senhor, porque ele é bom, e a sua misericórdia dura para sempre". Esta antiga doxologia já era conhecida em Israel séculos antes de ser escrito este salmo. No entanto, novas misericórdias da parte de Deus dão novo conteúdo a velhas expressões de louvor. Quando você recebe alguma prova do amor de Deus, uma maneira excelente de expressar sua gratidão é nas palavras dalgum salmo já consagrado pelo seu emprego nas devoções de milhões de pessoas no decurso dos séculos. "Digam-nos os remidos do Senhor". Estes remidos são aqueles que Deus resgatou ou libertou dalguma opressão ou dificuldade. No Novo Testamento, são os salvos pelo sangue do Cordeiro (Jr 31.11; Zc 10.8; e Is 11.11).

"Andaram errantes pelo deserto, por ermos caminhos, sem achar cidade em que habitassem". A senda que a caravana normalmente seguia tinha sido apagada - talvez por meio de uma tempestade de areia. Tal ocorrência é comum no deserto. Os odres de água já se esgotaram, os alimentos chegaram ao fim; o desespero surge no meio do cansaço físico profundo, e a angústia invade a própria alma.

"Então, na sua angústia, clamaram ao Senhor, e ele os livrou das suas tribulações". É o instinto natural até dos homens mais ímpios orarem em tempos de aflição. As calamidades nos impulsionam a procurar ajuda divina, e Deus, mesmo sabendo que o clamor deles não é muito espiritual, mostra a sua misericórdia, libertando-os e assim dando-lhes uma oportunidade à conversão. As respostas de Deus são rápidas e imediatas no meio das crises agudas: a senda no deserto aparece tão rapidamente quanto sumira antes, e o próprio Deus guia a marcha da caravana. O caminho fica sendo reto como uma flecha, e leva os viajantes diretamente para a cidade.

O salmista, então, entra com a exortação que repete depois de cada descrição da intervenção divina: "Rendam graças ao Senhor por sua bondade e por suas maravilhas para com os filhos dos homens!"

"Pois dessendentou a alma sequiosa, e fartou de bens a alma faminta". O atendimento das necessidades físicas é apenas uma amostra preliminar da obra que Deus faz em satisfazer totalmente os anseios da alma. Jesus Cristo é o pão do céu e a água da vida para satisfazer nossa fome e sede espiritual (Lc 1.53; Sl 34.10). As mais profundas necessidades da natureza humana não podem ser satisfeitas longe de Deus.

II - O Prisioneiro Oprimido (vv. 10-16)

Perto do fim da história antiga de Israel, era comum ver-se fileiras de prisioneiros sendo desterrados para o cativeiro num país distante. No entanto, não há aqui alusão a qualquer evento histórico específico. Refere-se às conseqüências gerais da desobediência e da rebelião. Talvez haja muitos tipos de calamidades simbolizados pelas palavras deste trecho bíblico. Uma vida longe de Deus é uma escravidão em si mesma. Quando alguém lança para longe de si o jugo de Deus, acaba esmagando-se sob um peso muito maior.

"Os que se assentaram nas trevas e nas sombras da morte, presos de aflição e em ferros". O quadro pinta um condenado acorrentado numa cela escura, esperando a hora da execução - uma descrição apropriada da alma presa pelas correntes do pecado e habitando nas trevas do desespero.

"Por se terem rebelado contra a palavra de Deus, e haverem desprezado o conselho do Altíssimo". Violaram os mandamentos de Deus anunciados na Lei, e o conselho que Ele dera por intermédio dos profetas. Pensavam que sabiam mais do que o Juiz de toda a terra, e deixaram os caminhos dEle para seguirem as suas próprias vontades. Aqueles que não querem ser "constrangidos" pela vontade de Deus, mais cedo ou mais tarde serão presos nos grilhões de Satanás.

"De modo que lhes abateu com trabalhos o coração". O castigo dos trabalhos forçados aos quais são submetidos os criminosos subjuga o coração mais corajoso. As labutas e sobrecargas até amansariam um leão.

"Caíram, e não houve quem os socorresse". Tropeçando no escuro sob as suas pesadas tarefas, finalmente caíram prostrados no chão, mas não houve nenhum olhar de compaixão para eles, nenhuma mão para ajudá-los a agüentar o castigo.

Em semelhante situação, os israelitas rebeldes pensaram em Deus, e, ao invés de apenas "fazerem as suas orações", realmente *oraram* a Deus, "e ele os livrou das suas tribulações". Deus lhes concedeu libertação completa, removendo todos os impecilhos da sua vida, tirando toda amargura e toda barreira.

III - O Enfermo Angustiado (vv. 17-21)

"Os estultos, por causa do seu caminho de transgressão e por causa das suas iniqüidades, serão afligidos. A sua alma aborreceu toda sorte de comida, e chegaram às portas da morte". A palavra "estulto" se refere não à fraqueza intelectual, mas sim, à perversidade moral. Todo o pecado inclui tolice. Nada é tão louco como cometer o mal. Os atos de depravação revelam a suprema estultícia; por outro lado, não há sabedoria tão gloriosa quanto a de obedecer a Deus.

Muitas doenças são o resultado direto dos atos de estultícia. Pela gula, pela bebedice, e por muitos outros desmandos, os homens deixam seu corpo vítima das enfermidades. Por meio de pecados, inveterados e habituais, estragam a saúde física. Além disto, toda e qualquer transgressão sempre traz enfermidade para a alma. Mesmo assim, a porta do arrependimento sempre está aberta. A oração do arrependimento e da fé é um convite para a graça de Deus vir abençoar corpo e alma (Tg 5.14,15).

A maneira da libertação é retratada de modo marcante. "Enviou-lhes a sua palavra e os sarou". A Palavra de Deus é a ferramenta através da qual opera o poder de Deus. Ele falou, e o universo veio a existir. Há 19 séculos, a Palavra de Deus (Jo 1.1,2,14) tomou a forma visível na Pessoa de Jesus de Nazaré, para levar embora os pecados e as enfermidades da raça humana (Hb 1.1,2). Através de Jesus Cristo, Deus pronuncia a palavra que perdoa e que sara.

"Rendam graças ao Senhor por sua bondade, e por suas maravilhas para com os filhos dos homens!" Realmente, uma cura divina é motivo para muita gratidão a Deus; mesmo assim, é freqüente a situação em que apenas um entre dez volta para agradecer (Lc 17.11-19). "Ofereçam sacrifícios de ações de graça" (Hb 13.15 e Os 14.2). Nossa gratidão deve se expressar em palavras e também em dádivas (Hb 13.16). "E proclamem com júbilo as suas obras!" Tais acontecimentos são dignos de serem narrados aos outros, porque assim Deus é honrado e outras pessoas ficam sabendo das provas da bondade do Pai Celestial.

IV - O Marinheiro Aterrorizado (vv. 23-31)

A tempestade é descrita do ponto de vista de alguém que vê tudo a partir dalgum ponto alto na praia. Impressionado com os perigos que os marinheiros vão enfrentar lá em alto mar, rapidamente toca nos aspectos salientes da tempestade - o vento forte que surge de repente; a rápida reação das ondas que começam a subir mais alto com novas forças; o navio que vai cambaleando, entre a crista da onda e o vazio embaixo; o terror da tripulação indefesa; a perda da capacidade de controlar o navio, que começa a rolar em todas as direções, desgovernado; o desespero dos marinheiros cuja capacidade nada mais valia ("Perderam todo tino").

O clamor que ergueram a Deus foi ouvido acima do barulho da tempestade, e a grande calma sobreveio de imediato. E assim chegaram ao porto seguro. Isto nos faz pensar na preservação prometida ao cristão no meio das tempestades desta vida. "E no porto faze entrar minha barca sem quebrar".

Nos versículos 33 a 38 surge uma mudança de pensamento do salmo. A providência de Deus é exibida numa série de contrastes, a primeira série descreve as mudanças nas condições da terra (vv. 33-39) e a segunda série descreve as mudanças nas fortunas dos homens (vv. 40-42). Em tudo isso, mostra-se como Deus guia os acontecimentos neste mundo.

O salmo termina com um convite a todos os leitores para prestarem atenção às várias demonstrações de soberania divina reveladas nos exemplos dados, a fim de entenderem como o amoroso propósito de Deus se faz presente em todas as circunstâncias.

V - Ensinamentos Práticos

1. O dever de mostrar apreciação. "Digam-no os remidos do Senhor". Nos jogos *Ístmicos* em 197 d.C., o governador romano Falmínio mandou soar uma trombeta para ordenar silêncio, quando, então, um anúncio foi feito declarando que o Senado romano restaurara os gregos, suas terras, suas leis e suas liberdades. Os ouvintes ficaram tão atônitos que pediram para repetir o anúncio. Então soltaram um grito de júbilo que foi ouvido em toda a cidade de Corinto e até ao mar. Estavam contentes com a notícia e, então, anunciaram o fato.

Você, como cristão, recebeu uma libertação ainda melhor, uma redenção perfeita, eterna e irrevogável? Então, diga isso! Deus respondeu às suas orações e livrou você de muitas angústias? Então, diga-o! Espalhe em todo lugar a narrativa da bondade de Deus e encoraje outras pessoas!

O mesmo princípio se aplica a relacionamentos humanos. Certo pastor descreve a morte de uma mãe muito idosa. Os filhos se reúnem ao derredor da cama dela, o mais velho a toma nos seus braços e diz: "Você sempre foi uma boa mãe para nós". As faces pálidas da mãe tomaram mais cor, e ela respondeu: "Meu filho, por que você nunca disse isto antes?"

Alguém foi uma bênção para você? Diga-lhe isso! O filho, que recebeu tantas chamadas de atenção pelas suas artes, finalmente fez algo de bom? Então diga-lhe isso! A pregação do seu pastor lhe foi uma bênção? Diga-lhe isso! Dar sincero testemunho daquilo que Deus fez para você, e apreciar honestamente o que o seu próximo fez de bom, é um meio de graça para a alma.

2. Deus nosso Líder. Deus é o grande Líder da raça humana. Ele conhece as capacidades e as limitações dos viajantes e está a par de todas as necessidades deles e de todo o percurso, com seus perigos e obstáculos.

O caminho por onde Deus nos guia sempre é o caminho certo, embora não seja o atalho mais fácil. Israel foi levado ao monte Sinai ao invés de tomar o caminho mais rápido através da terra dos filisteus. Talvez seja necessário que nós, também, tenhamos de andar em derredor por algum tempo enquanto recebemos instruções divinas.

O caminho que Deus escolhe para nós nem sempre, do ponto de vista nosso, é o mais agradável possível. Este mundo, como o deserto do Sinai, é uma terra seca e sedenta. Seu terreno espiritual é infrutífero e suas águas se secam. O mundo não oferece amizade alguma às pessoas que procuram a graça de Deus. Neste mundo, onde há distanciamento da vontade de Deus, é natural que muitas coisas surgem como provações para a fé do cristão. Estas provações, no entanto, quando devidamente enfrentadas, serão ajudas e não problemas; além de provar o nosso caráter, até o fortalece. Cada dificuldade que agüentamos num espírito de fé em Deus faz com que a nossa alma fique mais nobre e forte do que antes do sofrimento.

Embora nossa viagem de fé através deste mundo seja longa, difícil e solitária, é o caminho que Deus nos destinou. Ao segui-lo, seremos levados à cidade eterna. "Corramos com perseverança a carreira que nos está proposta".

Jonathan Edwards, grande reavivalista do século XVIII, escreveu: "Existem muitas maneiras de os cristãos ajudarem uns aos outros no seu caminho ao céu, como, por exemplo, mediante as conferências religiosas. Devem, portanto, ser exortadas a fazerem esta viagem em companhia uns dos outros, conversando juntos pelo caminho afora, e dando apoio uns aos outros. A boa companhia é muito desejável numa longa viagem, e especialmente nesta viagem de valor eterno. Devem andar unidos, e não ficar brigando durante a viagem; devem usar todos os meios para vencerem juntos as difíceis subidas. Desta maneira, haveria mais sucesso durante a viagem, e ainda mais júbilo quando todos se encontram no lar da glória celeste".

3. Os estultos e a sua estultícia (v. 17). O fato da estultícia humana é evidente a todos, mesmo quando não se trata de transformá-lo em ciência chamada "morologia". As Escrituras, escritas para nos tornarem sábios para a salvação e a piedade, nos previnem contra várias formas de estultícia.

3.1. A tolice de banir Deus da nossa vida. "Diz o insensato no seu coração: Não há Deus" (Sl 14.1). O ateísmo não é mero assunto de teoria; inclui o homem que vive como se Deus não existisse. Embora nem sempre diga em voz alta: "Não existe Deus", lá no fundo do coração está pensando: "Não quero saber nada de Deus".

O homem, que coloca Deus para fora dos seus pensamentos e da sua vida, é tolo, porque toma um risco pavoroso. A seguinte história vem da Rússia, do período antes do regime comunista. Certo ateu tinha realizado um comício público, abertamente desafiando a Deus. Uma pequena camponesa se levantou: "Senhor, não posso responder a todos os seus argumentos cultos; sou apenas uma lavradora da terra. Peço-lhe o favor, com toda a sua inteligência superior, de me responder a uma pergunta. Já há muitos anos que sou crente em Cristo Jesus. Sinto gozo da salvação e tenho enorme prazer na Bíblia. Sua consolação sempre foi uma doce alegria para mim. Se, na hora da minha morte, eu chegar a descobrir que não existe Deus, que Jesus não é o Filho de Deus, que a Bíblia não é verdadeira e que não há salvação, nem céu para eu ir - diga-me, então: O que perdi por ter crido em Cristo durante esta vida?" Comovido pela simplicidade da mulher, o ateu respondeu: "Senhora, não perderá coisa alguma". Respondeu a camponesa: "Obrigada pela sua bondade em responder à minha pergunta. Permita-me mais uma. Se, quando chegar a hora de o senhor morrer, o senhor descobrir que a Bíblia é verdadeira, que Deus existe, que Jesus é o seu Filho, e que o céu e o inferno são uma realidade, diga-me: Qual é a perda que o senhor sofrerá?" O ateu, sem resposta, percebeu a tolice de tomar o risco tão enorme de deixar Deus fora da sua vida.

3.2. A tolice da educação superficial e limitada. A educação nas escolas públicas se limita a treinar o intelecto, mas negligencia a alma e as forças que influenciam o caráter moral. Muitos educadores já perceberam a tolice e o perigo de desenvolver as mentes dos alunos sem refrear o mal que há em cada coração humano. Assim como um automóvel possante é um perigo público nas mãos de um motorista bêbado, assim também são as invenções modernas nas mãos de uma geração desviada de Deus.

O propósito da educação é preparar pessoas para enfrentarem a vida. O homem, feito à imagem de Deus, é destinado a uma vida futura. Uma educação bem completa, portanto, deve prepará-lo para a vida eterna.

3.3. A tolice de corrida atrás do dinheiro. Certo fazendeiro rico estava se regozijando em todas as suas riquezas acumuladas e planejava uma vida de prazeres, descanso e satisfação. No entanto, excluiu Deus dos seus cálculos e planos. Naquela mesma noite, Deus escreveu o seu epitáfio: "Louco!" Enquanto pensava apenas no seu corpo, esse rico louco perdeu o corpo e a alma. Na tentativa de ter tudo neste mundo, acabou perdendo ambos os mundos. Que loucura!

3.4. A tolice de exaltar a nossa própria importância. "Fui tolo", confessa Saul. E qual foi a sua tolice? Saul tinha começado bem. Sua conduta revelava modéstia, humildade, generosidade e sabedoria. Depois, porém, começou a se exaltar quando, à sua própria importância, ofendeu o profeta do Senhor e chegou a imaginar que pudesse reinar sem a ajuda de Deus. Sua tolice lhe cegou a tal ponto que procurava matar o homem que Deus ungira. Depois, num breve momento de remorso e de arrependimento, confessou: "Eis que tenho procedido como louco e errado excessivamente" (1 Sm 26.21).

O orgulho precede à queda, e aquele que se exalta será abaixado.

3.5. A tolice do mundanismo. Conta-se a história de certo rei que deu uma bengala revestida de ouro para o seu bobo da corte, dizendo-lhe que podia ficar com ele até que achasse um bobo maior. Anos mais tarde, o rei estava morrendo e disse ao bobo: "Estou indo para um país distante".

"Vossa Majestade já está com os preparativos feitos para esta longa viagem?" - indagou o bobo. "Infelizmente, não". "Então, a bengala é sua - já achei um bobo maior".

3.6. A tolice da frivolidade. "Pois qual o crepitar dos espinhos debaixo de uma panela, tal é a risada do insensato: também isto é vaidade" (Ec 7.6). A vida tem seu lado trágico, e tem suas partes engraçadas. Possuímos emoções para corresponder a todos os aspectos da vida, e não há dúvida que a capacidade para rir também é dom de Deus, como auxiliar à nossa alegria e modo de dissipar as tensões e angústias. A capacidade sadia de observar o lado divertido da vida, e de ver que nós mesmos temos a nossa parte que merece risos, não quer dizer que devemos transformar tudo em assunto de piadas, brincadeiras, hilaridade e gargalhadas. Tais atitudes são perigosas e pecaminosas quando nos tiram a capacidade para a reflexão séria. Quem prega não deve ganhar a reputação de ser o "palhaço" das reuniões, porque nestas condições ninguém vai levá-lo a sério quando sobe ao púlpito.

De modo bem especial, o cristão deve fugir da tentação de contar piadas acerca de coisas sagradas, ou de fazer alusões humorísticas a elas. As piadas acerca da santificação e outras doutrinas dissipam o espírito de reverência. As piadas acerca do inferno acabam com o solene respeito.

Algumas pessoas pensam ser a vida uma contínua festança; outras pensam ser um jejum prolongado. Quem for entendido saberá achar o caminho certo entre estes dois extremos.

3.7. A tolice das dúvidas persistentes. Imaginemos que um soldado ferido na batalha, e em estado grave, começasse a perguntar: Que tipo de homem atirou contra mim? Qual é a sua aparência? Que tipo de fuzil empregou e que tipo de bala foi atirada? O cirurgião que cuidasse dele por certo acharia que o soldado estava delirando. E o que diríamos de um capitão que, durante uma terrível tempestade, gastasse seu tempo pesquisando no camarote o mistério das origens do vento? Por certo diríamos que o capitão enlouqueceu. Apesar disto, há muitas pessoas, profundamente feridas por enfermidades espirituais, e cuja barca se aproxima da praia da eternidade no meio de tormentas, que ainda querem especular acerca dos mistérios do evangelho e da origem do pecado. Algumas delas não querem avançar um só passo na fé cristã antes de alguém lhes dizer por que Deus não matou o diabo.

Nas horas de provações, o homem entendido toma as medidas práticas para cuidar da sua segurança, e deixa as especulações para os momentos de lazer.

"Os estultos, por causa do seu caminho de transgressão e por causa das suas iniqüidades, serão afligidos". Cada tipo de estultícia é seguido pela forma apropriada de punição. A Bíblia nos dá o remédio para curar todas as formas de tolice, bobice, insensatez e estultícia: "Se, porém, algum de vós necessita de sabedoria, peça-a a Deus, que a todos dá liberalmente, e nada lhes impropera; e ser-lhe-á concedida" (Tg 1.5).

4. A enfermidade e o pecado (vv. 17-20). Seria uma acusação falsa e gravemente errônea se alegássemos cada vez que um cristão está doente é por causa dos pecados dele. A história de Jó demonstra quão grande foi a falta dos amigos que queriam atribuir a ele grandes deslizes quando, na realidade, seus sofrimentos foram permitidos por Deus a fim de levá-lo a visões espirituais do Salvador vindouro. Mesmo assim, não há dúvida alguma que muitas doenças são a conseqüência de transgressões, como se vê nas exortações bíblicas sobre o assunto, corroboradas pela experiência diária.

A Bíblia registra muitos exemplos de como Deus milagrosa e imediatamente deu uma enfermidade como castigo por alguma desobediência grave. Veja, por exemplo, a lepra de Miriã, de Geazi e do rei Uzias, e a cegueira de Elimas, o mágico. Paulo até orou para que uma doença ferisse certa pessoa a fim de levá-la ao arrependimento (1 Co 5.1-5).

Além deste ato de castigar alguém com doença, Deus tem um método indireto de ferir com doenças disciplinárias. Ele criou o corpo humano de tal maneira que qualquer violação das suas leis quanto ao comportamento físico, e qualquer estado mental e emocional contrária à sua Palavra, inexoravelmente levará a enfermidades físicas e mentais. Hoje em dia, até os médicos não cristãos são forçados a reconhecer este fato. Não podem negar que as emoções desgregadas podem danificar o coração, o sistema digestivo, e até a rede total das veias e artérias. Um estudo de 1.500 pessoas, numa única clínica, demonstrou que 80% dos enfermos sofriam dalgum fator da personalidade que contribuía consideravelmente à doença física. Em última análise, portanto, a doença é um problema espiritual.

Dra. Lilian B. Yeomans, que durante muitos anos era cirurgiã ativa, e agora está sendo grandemente usada por Deus em orar pelos enfermos, tem declarações bem específicas quanto a este assunto:

"Eu creio que contar fofocas contra a vida alheia, a maledicência que logo se transforma em calúnia, é a mais perigosa ocupação que você pode adotar, do ponto de vista da sua saúde. Nada é uma ameaça tão grave como esta, contra a sua própria vida. Se eu fosse nomeada para ser a médica conselheira dalguma grande firma de seguros, daria o seguinte parecer: As pessoas que estão acostumadas a enredar contra o próximo, e contar coisas que atingem a reputação do vizinho, devem ser excluídas das apólices de seguro de vida. A vida delas é por demais arriscada. Neste assunto, a Bíblia declara: "As palavras do maldizente são doces bocados, que descem para o mais interior do ventre" (Pv 18.8). São doces para os que têm o vício de escutá-las, prestar atenção a elas, crer nelas e repeti-las, mas no fim atacam as próprias entranhas. Eu creio que algumas das doenças mais profundamente arraigadas, que resistem ao disgnóstico mais completo e pericial, e que mostram-se fora do alcance de qualquer remédio e qualquer cirurgia, têm sua origem na maledicência. Lembre-se, oh, lembre-se mesmo! que uma palavra maldosa fere não somente a pessoa contra quem você repetiu alguma calúnia, mas também, como o bumerangue, volta para abater a pessoa que lançou tal palavra ferina".

No meio desta situação perigosa, ainda há esperança: Deus oferece graça e esperança àqueles que estão padecendo enfermidades por causa das suas transgressões: "Enviou-lhes a sua palavra e os sarou". Deus não se deleita em nossas angústias e desgraças. Seu desejo é que abandonemos os nossos vícios a fim de abrirmos o caminho para permitir que seu poder para perdoar e curar possa abençoar a nossa vida. O arrependimento escutará a palavra de perdão: "Filho, são perdoados os teus pecados"; a palavra de cura: "Levanta-te, toma o teu leito e anda"; e a palavra de advertência: "Vai, e não peques mais".

5. Orando na hora do sofrimento. Qualquer pessoa clama ao Senhor quando se sente vencida por circunstâncias além do seu controle. O esgotamento e o desespero, a agonia da consciência, as aflições da vida e a iminência da morte são crises que sacodem a confiança que o ser humano carnal sente em si mesmo, forçando-o a buscar refúgio em seu Criador. Quando o capelão perguntou ao soldado ferido se às vezes orava, o soldado respondeu: "Raras vezes; orei durante aquela batalha de sábado à noite - acho que todos estavam orando no meio *daquilo.*

Não precisamos ter medo de nos esquecer de orar a Deus nalgum momento de terrível perigo - porque todos, cristãos, pagãos e desviados juntos, conseguem orar em tais condições. O que é mais perigoso para nossa alma é negligenciar a nossa comunhão com Deus durante as rotinas da vida diária. Devemos aprender a lição de Daniel: orava não somente em momentos de perigos e de tomar decisões responsáveis, mas "três vezes ao dia".

Para o verdadeiro cristão, a oração deve ser algo mais do que uma fonte de poder do qual tiramos socorro ocasional. Deve ser, também, nossa comunhão diária com nosso amoroso Pai celestial. É somente aquele que aprendeu a orar a Deus em todas as circunstâncias da vida que terá fé sobrenatural para clamar poderosamente a Deus no meio de alguma grande tragédia.

somente em momentos de perigos e de tomar decisões responsáveis, mas "três vezes ao dia".

Para o verdadeiro cristão, a oração deve ser algo mais do que uma fonte de poder do qual tiramos socorro ocasional. Deve ser, também, nossa comunhão diária com nosso amoroso Pai celestial. É somente aquele que aprendeu a orar a Deus em todas as circunstâncias da vida que terá fé sobrenatural para clamar poderosamente a Deus no meio de alguma grande tragédia.

16

Da Escravidão para a Libertação

Texto: Salmos 137 e 126

Introdução

Há muitos anos, na Ásia Menor, os turcos massacraram de modo violento os armênios cristãos. Dr. Rendel Harris, chegando com uma expedição de socorro às vítimas, descreve um culto realizado com os sobreviventes. “Combinei com eles que faríamos um culto no domingo, em certo jardim, e, no horário marcado, os pobres sobreviventes se reuniram no local. Foi difícil saber como fazer uma reunião no meio de tanto sofrimento. Sugeri que cantassem algum dos seus hinos, mas me mandaram recado dizendo que não cantaram mais depois dos massacres, e que não podiam cantar. Falei a uma missionária ao meu lado: 'Comecem vocês a cantar um hino em armênio, e vejam se a congregação vai acompanhar’. Ela começou a cantar, e, pouco a pouco, uma voz trêmula após outra se erguia para acompanhar aquela antiga melodia sagrada”.

Depois da destruição de Jerusalém, e durante o seu exílio, muitos judeus perderam todo o ânimo para cantar "os cânticos de Sião". Os dois salmos que vamos estudar descrevem o derramamento de cânticos religiosos que se seguia após a volta à pátria, que também era o lar religioso, o território reservado para serem impostas as leis de Deus. Os dois primeiros capítulos do livro de Esdras descrevem a situação histórica à qual pertencem estes salmos.

Salmo 137

Este salmo expressa os sentimentos de um exilado, recentemente livre do cativeiro. Provavelmente, o autor foi um levita cuja prisão foi feita pelos exércitos de Nabucodonosor na ocasião em que o Templo de Salomão foi destruído, e que era um dos primeiros a voltar para Jerusalém quando o edito de Ciro foi publicado. Agora está de volta na terra da sua infância, terra esta que ainda mostrava os danos feitos pelos exércitos inimigos que despojaram e destruíram tudo quanto podiam. O templo ainda está em ruínas. O coração do escritor está pesado com as lembranças dos maus tratos e ultrajes que agora seus patrícios estavam deixando para trás. Toma a sua harpa, querida herança de dias mais felizes, e derrama a sua alma num salmo inspirado em que predominam três notas:

I - A Saudosa Lembrança (Sl 137.1-4)

"Às margens dos rios de Babilônia nós nos assentávamos e chorávamos, lembrando-nos de Sião". Você quase pode ver os exilados, sentando-se com corações por demais pesarosos para quaisquer atividades, olhando as monótonas planícies da Babilônia e notando o contraste entre aquela paisagem e a sua própria pátria com montanhas, colinas, morros, vales com bosques, e córregos e riachos. Sem dúvida alguma, muitos dos exilados passaram a se dar bem na Babilônia, e a arqueologia revela que alguns judeus até montaram firmas comerciais naquela capital. As almas mais sensíveis e devotas, no entanto, achavam melhor chorar por Jerusalém e lembrar-se do culto no templo, do que se entregar aos prazeres babilônicos.

"Nos salgueiros que lá havia pendurávamos as nossas harpas". O salgueiro chorão é nativo daquela parte da Ásia (aqui os temos às beiras do Rio Tietê, em São Paulo). As harpas, sempre consagradas a expressões de júbilo espiritual, não tinham emprego nos dias de tristeza e cativeiro, enquanto os judeus não tinham acesso a qualquer lugar de culto. Por medo que os pagãos insistissem no seu pedido no sentido de os hinos consagrados ao culto fossem cantados como diversão e zombaria dos que queriam fazer piquenique na sombra dos judeus, os fiéis penduraram as harpas bem altas em salgueiros frondosos que as escondiam de vista. "Pois aqueles que nos levaram cativos nos pediam canções, e os nossos opressores, que fôssemos alegres, dizendo: Entoai-nos algum dos cânticos de Sião". Quando os babilônios queriam passear e se divertir, não se importavam do tipo de canção cantado pelos pagãos - a música do templo seria tão divertida como qualquer outra para aqueles cujas mentes somente podiam entender coisas mundanas. Como Belsazar, não sentiam nenhuma dor na consciência ao empregarem coisas sagradas nas suas festanças (Dn 5).

O salmista devoto, bem como seus companheiros, tinham horror de transformar os hinos em passatempo para a diversão dos pagãos. "Como, porém, haveríamos de entoar o canto do Senhor em terra estranha?" Os "cânticos de Sião" ou "cantos do Senhor" são os hinos entoados a Deus e apropriados para ocasiões religiosas, e seria uma profanação empregá-los para o entretenimento dos pagãos (Mt 7.6). Podemos cantá-los em casa num lar cristão, e podemos cantá-los na evangelização.

II - A Apaixonada Dedicação (Sl 137.4-6)

O salmista, deixando de lado sua época de saudades espirituais no meio do cativeiro entre os pagãos, dedica sua atenção à cidade de Deus. Uma onda de emoção espiritual passa pela sua alma, e ele irrompe numa apaixonada declaração de lealdade. "Se eu de ti me esquecer, ó Jerusalém, que se resseque a minha mão direita". Ele como que diz: "Se me esqueço de minhas convicções religiosas ao ponto de profanar os hinos sagrados, fazendo deles uma diversão para os pagãos, que eu perca a minha capacidade de tocar mais uma nota". O bem-estar da cidade de Deus, a preeminência de assuntos celestiais, é o auge da felicidade do salmista; nisto está a sua glória e a sua esperança. Desta fidelidade ele não quer desviar-se, ainda que cercado pelos mundanos: "Se eu de ti me esquecer, ó Jerusalém, que se resseque a minha mão direita. Apegue-se-me a língua ao paladar, se me não lembrar de ti, se não preferir eu Jerusalém à minha maior alegria".

III - A Veemente Indignação (Sl 137.7-9)

As cenas horríveis da destruição de Jerusalém mais uma vez passam pela memória do salmista, como um terrível pesadelo. Relembra os desalmados gritos de júbilo demoníaco que os edomitas soltavam no dia da destruição de Jerusalém (leia a descrição no livro de Obadias). Não se esquece de certa característica chocante do saque de Jerusalém: o assassinato das crianças nas ruas - e invoca a justiça divina sobre aqueles que cometeram tais ultrajes. As palavras dele talvez pareçam duras, mas não se trata da mera expressão do feroz desejo pela vingança. O salmista fala como quem crê firmemente na justiça de Deus, e proclama apaixonadamente os seguintes princípios bíblicos: (1) Num universo governado pelas leis de Deus, a retribuição forçosamente terá de cair sobre todos os praticantes da maldade e da crueldade. (2) Os que semeiam violência e destruição terão de colher a ceifa oriunda daquilo que plantaram. (3) O Rei da paz terá de ser, antes de reinar a paz, o Rei da justiça. O Deus de amor também é o Deus da retidão. A destruição dos ímpios é acompanhante necessária da preservação dos justos.

Salmo 126

O grupo de exilados, já de volta do cativeiro, está habitando na terra dos seus antepassados. Escute os seus testemunhos registrados pelo salmista inspirado! Contém três notas: júbilo, oração e confiança.

I - Júbilo (vv. 1-3)

"Quando o Senhor restaurou a sorte de Sião, ficamos como quem sonha".

1. A surpresa feliz. Quando foi promulgado o decreto de Ciro, os exilados dificilmente poderiam acreditar naquilo que viram e ouviram. Parecia-lhes que estavam no meio de um sonho de felicidade. Tudo parecia "bom demais para ser verdade" (Lc 24.41; At 12.9). Não se tratava de falta de fé em Deus - era apenas a lentidão em se acomodarem à nova situação melhor emergente tão repentina que não estavam em condições de saber como agir nas circunstâncias novas. Certo historiador grego, antigo, descreveu a grande alegria dos gregos que foram inesperadamente libertados dos seus inimigos: "A maior parte dos homens dificilmente conseguia crer nas notícias, e imaginavam que se tratasse de um sonho, enquanto escutavam aquilo que estava sendo anunciado, porque tudo lhes parecia tão extraordinário e milagroso".

2. Êxtase de alegria. "Então a nossa boca se encheu de riso, e a nossa língua de júbilo". Os orientais demonstram mais emoções do que os ocidentais. Choram quando estão decepcionados, riem quando estão contentes, e gritam de felicidade. Seja qual for o seu temperamento, porém, você pode sentir o júbilo da salvação quando recebe uma libertação de Deus.

3. Grato testemunho. "Então entre as nações se dizia: Grandes cousas o Senhor tem feito por elas. Com efeito, grandes cousas fez o Senhor por nós; por isso estamos alegres". Os risos de alegria e os gritos de júbilo que acompanhavam os exilados livres do cativeiro na Babilônia, e que ecoavam nos desertos que atravessam, eram o testemunho diante das nações pagãs de quão grandes coisas Deus fizera em prol do seu povo. Você pode adotar, ainda nos dias de hoje, a regra de que "A alegria em Deus é uma pregação em prol da causa de Deus". A alegria de Israel testificou: (1) à compaixão de Deus. A volta de Israel à sua terra ensinava aos pagãos que o Deus de Israel era um Deus misericordioso, que misturava a graça e o amor com os pronunciamentos do juízo; (2) à preservação divina. A volta era uma declaração de que a providência divina tinha acompanhado o povo de Deus durante todo o período do cativeiro. A nação tinha passado pelos fogos da purificação, mas a prata tinha sido conservada em toda a sua pureza; (3) ao propósito de Deus. Deus restaurou seu povo porque tinha um propósito para ele no mundo - proclamar a Palavra de Deus e preparar o caminho para o Salvador.

II - Oração (v. 4)

A mudança pela qual os exilados passaram era muito grande. Nenhuma mudança, grande ou pequena, pode nos deixar sem trabalhos a fazer, porque todas as mudanças são incompletas, e cada uma delas exige de nós novas provações e novas capacidades para resistência. Assim sendo, a parte de júbilo passa a se misturar com súplicas.

"Restaura, Senhor, a nossa sorte, como as torrentes no Neguebe". Nas terras áridas do sul da Palestina (o Neguebe), pode-se ver os leitos secos de muitas torrentes. Então, vão começando as chuvas, e logo aparecem pequenos fios de água correndo no meio do leito seco. Antes de acabarem as chuvas, o fio de água se transforma em riacho, e o riacho em correnteza violenta.

O número de exilados que voltaram com a primeira leva era reduzido, pequeno demais, conforme parecia, para fazer efeito algum, tão pequeno que era ameaçado de secar-se ou evaporar como o fio de água. O salmista, portanto, queria que a situação em Jerusalém voltasse para a prosperidade espiritual e civil de antes, como números suficientes de exilados voltados para lá a fim de levar a efeito a obra.

A igreja de nossos dias precisa proferir esta oração em prol da pequena companhia dos eleitos, pois os fiéis no meio deste mundo deserto são um grupo pequeno, o "pequeno rebanho", um pequeno fio de água.

III - Confiança (vv. 5,6)

1. Tempos tristes de semeadura. Certo escritor, que presenciou cenas semelhantes, disse já ter visto pessoas semeando em circunstâncias tão tristes de temor e angústia que qualquer um choraria. Em épocas de grande falta de mantimentos, os camponeses pobres têm dó de cada medida de sementes lançada na terra. Sentem estar arrancando a comida da boca dos seus filhos, e, em tais tempos, choram amargamente quando um quilo de trigo é tirado da despensa para ser semeado no campo visando a uma ceifa num futuro provavelmente tão distante que não se sabe se a família sobreviverá até então. Semelhantemente, o pequeno grupo de exilados que voltavam para restaurar a terra desolada estavam "semeando com lágrimas". Labutavam em angústia, dor e desânimo, no meio das ruínas da sua antiga pátria e em face de inimigos cínicos e cruéis. A sorte do pioneiro, seja em assuntos materiais ou em assuntos espirituais, é muito difícil.

2. *Tempos felizes de ceifa.* "Quem sai andando e chorando enquanto semeia, voltará com júbilo, trazendo os seus feixes". As sementes espirituais lançadas e regadas com lágrimas não serão perdidas. Toda obra espiritual feita com compaixão sobrenatural não demorará em revelar os seus frutos. "E não nos cansemos de fazer o bem, porque a seu tempo ceifaremos, se não desfalecermos" (Gl 6.9).

IV - Ensinamentos Práticos

Salmo 137

1. *Bênçãos perdidas.* "Chorávamos, lembrando-nos de Sião". Quando você deixa de ficar dentro da vontade de Deus, e quando despreza os meios de graça oferecidos por Ele (oração, leitura bíblica, comunhão com os irmãos na fé, meditação e a unção do Espírito Santo para santificação e poder), você logo se acha ao lado de "rios da Babilônia" produzidos por você mesmo. Você se juntará às fileiras daqueles que se lembram do passado com profundo pesar. Mesmo assim, embora seja coisa amarga ter perdido oportunidades espirituais que nunca voltarão, você sofrerá piores amarguras se a sua mágoa acerca do passado impedir de aceitar cristãmente as oportunidades que hoje se apresentam. Sua tristeza acerca de derrotas passadas nunca deverá impedir você de procurar novos começos. Depois de corrigir na medida do possível o erro passado, e depois de aprender a lição moral nele contido, você deve se esquecer das coisas que para trás ficam e avançar para alvos espirituais ainda presentes na sua frente. O cântico dos redimidos não é um hino fúnebre de pêsames pelo Éden perdido - é o "cântico novo" que diz respeito ao Paraíso Eterno cuja porta de acesso foi franqueada a você mediante o sacri-

fício de Jesus Cristo. Deixando os fracassos para trás, e procurando a graça de Cristo para o presente e o futuro, você também pode cantar o cântico novo, celebrando o poder do Senhor para perdoar e redimir.

Você não deve passar muito tempo ao lado dos rios da tristeza, relembrando-se dos siões antigos. Quando o fracasso leva você a examinar-se a si mesmo, e a resolver que agora agirá de modo bem mais espiritual, você poderá transformar a derrota passada em vitórias futuras. Antigas bênçãos não são suficientes para a vida de hoje, e antigas mágoas não devem estragar o presente.

2. "O canto do Senhor". Em certos salões de concerto você pode ouvir oratórios tais como o "Messias" de Handel, em que temas sagrados, tirados diretamente da Bíblia, são anunciados em palavras e nas músicas que as próprios palavras inspiram. Para muitos ouvintes, no entanto, as palavras são tratadas como simples enfeite para a música - escutam a bela música clássica e não querem saber de crerem na mensagem celestial. Para os antigos judeus piodosos, o pensamento, a linguagem e a música eram inseparáveis. A música dos salmos, juntamente com o seu ritmo poético, não era considerada assunto à parte da mensagem espiritual. É por isso que a alma deles se revoltava contra a idéia de cantar os salmos como "música importada" e "última novidade musical" para agradar os ouvidos dos babilônios, amantes dos prazeres. Os hinos cristãos, também, devem ser cantados com espiritualidade, em ambiente de piedade e reverência.

3. A maior alegria dos fiéis (vv. 5 e 6). Para o judeu fiel, Jerusalém era a cidade de Deus, o lugar da sua morada entre os homens. O ponto culminante da sua alegria era visitar o templo de Deus. No caso de viver numa terra distante, voltava-se na direção de Jerusalém para orar, e sentia saudades de estar ali. Suas mais profundas esperanças e alegrias estavam vinculadas à palavra "Jerusalém".

Depois de o sacrifício de Cristo ter-se completado, foi rasgado o véu do templo em Jerusalém. Você, como crente em Jesus Cristo, já não depende de qualquer templo físico centralizado - sua vida espiritual está firmada nos céus. "Portanto, se fostes ressuscitados juntamente com Cristo, buscai as cousas lá do alto, onde Cristo vive, assentado à direita de Deus. Pensai nas cousas lá do alto, não nas que são da terra; porque morrestes, e a vossa vida está oculta juntamente com Cristo, em Deus. Quando Cristo, que é a nossa vida, se manifestar, então vós também sereis manifestos com ele, em glória" (Cl 3.1-4). O teste da sua vida espiritual é o seguinte: Você prefere a comunhão com Cristo ou desfrutar da maior alegria que o mundo pode oferecer? Você, como crente, é templo do Espírito Santo - esteja certo disto.

4. O ser humano é um exilado. O salmo do Cativeiro não somente conta a história da nação de cativos, chorando às margens dos rios da Babilônia há milhares de anos. Conta, também, a história espiritual do ser humano depois da queda e da expulsão do Paraíso. Desde então, o ser humano anda vagueando e sonhando em seu lar perdido, que agora só pode ser conquistado de volta mediante a conversão a Jesus Cristo.

A teoria da vida humana, baseada na hipótese de a existência ter-se desenvolvido por acaso, declara que o que existe é correto em si mesmo. Noutras palavras, teríamos de aceitar o mundo tal qual ele é, visto que nunca poderia ser diferente. A Bíblia, porém, declara enfaticamente que a raça humana caiu de um estado espiritual bem mais elevado, e que muita coisa sucedida neste mundo é fruto do pecado, das fraquezas humanas e das tentações de Satanás. A Bíblia declara que o homem perdeu o seu caminho, e que os males desta vida têm sua origem nesta apostasia. A insatisfação e a perturbação íntima sentidas por toda alma é uma prova da existência do profundo anseio por algo muito melhor. Lá no fundo de cada coração há a fome e a sede pela justiça que, no caso de não receber em Cristo a sua satisfação, estragará toda felicidade e paz de espírito. O homem se assenta no meio das melhores coisas que o mundo pode oferecer, e sabe que foi criado para algo melhor.

A distinção entre o crente e o homem do mundo é que o crente já voltou do seu exílio espiritual, ao converter-se a Cristo, tendo assim a comunhão com Deus, a qual o homem tinha antes da queda. Você, crente em Cristo, já está andando pelo caminho cujo destino é "a cidade que tem fundamentos, da qual Deus é o arquiteto e edificador" (Hb 11.10).

Enquanto você está no exílio, tem trabalho para fazer, e você fará muito melhor o seu serviço espiritual quando sempre guarda em mente que aqui não é seu lar. Daniel, o exilado, fez uma grande obra profética em prol dos fiéis na Babilônia. Enquanto você anseia por Deus e aguarda a sua chegada nos céus, sente-se mais inspirado para os deveres da vida, com a cabeça, coração e mãos instruídos por uma sabedoria superior à da terra.

Salmo 126

1. As bocas que riem e as línguas que cantam. Há muitos anos um bêbado, com sua saúde já totalmente arruinada pela bebida, entrou num salão de missões em Chicago. Lá, ficou sabendo do amor de Deus para com os pecadores arrependidos, e do poder do Espírito Santo para transformar a sua vida. Ajoelhou-se em oração e aceitou a salvação. Aquele homem foi Mel Trotter, que mais tarde veio a ser conhecido no mundo inteiro como poderoso evangelista que penetrava em favelas e prisões. Não há dúvida que a boca deste homem se encheu de riso, e a sua língua de júbilo. De fato, alguém que conhecia o Dr. Trotter diz que ficava mais alegre quando estava doente, e que quando ele não se sentia fisicamente bem, as pessoas sentiam que recebiam uma tônica só por ficar perto dele.

O júbilo da salvação ultrapassa qualquer júbilo da terra. Quando, porém, o crente se perde em Deus através da experiência chamada o batismo no Espírito Santo, a alegria jubilosa celestial é tão gloriosa que a alma começa a cantar louvores e glórias numa língua extática e desconhecida. Então, realmente, "a nossa boca se enche de riso, e a nossa língua de júbilo!"

2. *Oração e louvor.* "Então entre as nações se dizia: Grandes cousas o Senhor tem feito por eles". Certo escritor cristão escreveu a seu pai: "Vou levar mais a sério as suas orações quando escuto mais dos seus louvores". Quis dizer que o pai dele estava sempre pedindo mais iluminação espiritual, consolação e perdão, mas nunca se regozijava por ter recebido aquilo que pedia.

Será que você ora de tal modo que parece estar procurando persuadir um Deus indisposto a atender as suas súplicas, ou será que você inclui ação de graças, louvores e glorificação pelas promessas que você aceita pela fé e que já pode agradecer antes de esperar chegar a resposta? O mundo não está interessado naquilo que você pede em oração - está interessado em ver os resultados, aquilo que Deus faz por você e através de você.

3. *Deveres do presente e recompensas futuras.* "Os que com lágrimas semeiam, com júbilo ceifarão". É uma lei da vida espiritual que teremos de entrar no gozo do reino de Deus através de tribulações. Deus reservou para nós uma ceifa de júbilo eterno, porém aqui na terra temos de semear com lágrimas. Até o Filho de Deus se submeteu a esta regra: "Jesus, o qual em troca da alegria que lhe estava proposta, suportou a cruz, não fazendo caso da ignomínia..." (Hb 12.2).

Esta regra se aplica a:

3.1. Experiência espiritual. Muitas vezes você tem vontade de chorar por causa dos seus fracassos na tentativa de viver nos níveis mais sublimes da vida espiritual. A carne luta contra o Espírito, o pecado entra em contendas contra a santificação. Mas, embora você tenha de semear com lágrimas, Deus garante que você ceifará com júbilo.

3.2. Trabalho cristão. O evangelista Erling C. Olson declara: "A Palavra de Deus é poderosa, mais afiada do que qualquer espada de dois gumes; aqueles que saem levando a Palavra, no entanto, devem ter a experiência de sentir a sua alma comovida até às lágrimas no seu esforço de levar uma alma a Cristo. Se você não batiza em orações e agonias espirituais os seus esforços, não terá a alegria de ver uma grande ceifa espiritual. Se você avançar carregando a preciosa semente, com lágrimas pelo caminho, pode ter a certeza de que, na ocasião de ser revelada a ceifa, você ficará carregado com feixes". O resultado é certo, garantido por Deus. Não há lugar para dúvidas. Sinceros esforços para a edificação do reino espiritual, que é composto daqueles que amam a Cristo, não ficarão sem resultado, e não passarão sem galardão. "E não nos cansemos de fazer o bem, porque a seu tempo ceifaremos, se não desfalecermos" (Gl 6.9).

4. A história de uma alma. As experiências de Israel como povo de Deus na época do Antigo Testamento são lições para a nossa experiência individual como crentes em Jesus Cristo, membros do novo Israel de Deus. Podemos, portanto, aplicar o Salmo 126 à nossa vida diária cristã. (1) A alma redimida estava no cativeiro: era escrava à Lei de Deus, que ameaçava a consciência; era escrava do pecado, que amarrava-a com desejos e hábitos pecaminosos; era escrava da morte física e espiritual. (2) Este cativeiro, no entanto, foi rompido. Assim como o rei Ciro, inspirado por Deus, promulgou um decreto ao qual os cativos que queriam a libertação obedeceram, assim também os embaixadores de Deus, inspirados pelo Espírito Santo, proclamaram o perdão às almas cativas, e as almas com júbilo obedeceram à ordem de deixarem para trás a sua velha vida humana. (3) Seguem-se resultados bem-aventurados. "Ficamos como quem sonha". Assim se sente a alma no seu enlevo de deleite ao reconhecer tudo quanto Deus fez em prol dela. Há alegria exuberante; a boca se enche de riso e a língua de júbilo. Libertada da culpa e do poder do pecado, e tendo a certeza da salvação e a garantia de que, no futuro, habitará no céu com Deus, longe de todas as tentações, a alma levanta vôo como um pássaro que escapa da gaiola. E os parentes, os amigos e os vizinhos notam uma mudança dramática. "Então entre as nações se dizia: Grandes cousas o Senhor tem feito por eles". (4) Ainda procurava-se uma plenitude maior. Chega um momento de crise em que a alma reconhece que, por mais maravilhosas que tenham sido as suas experiências, ainda recebeu apenas uma amostra; começa a ansear por receber mais e mais da parte de Deus, maior libertação dos pecados e das fraquezas, e uma operação bem mais profunda do Espírito Santo. Como os exilados, ora: "Restaura, Senhor, a nossa sorte". (5) A alma, vivendo e labutando na causa do Evangelho, às vezes se vê forçada a enfrentar desencorajamentos, adversidades e tentações, e chega a sentir vontade de dizer: "Será que tudo está sendo em vão?" Então se lembra da promessa confiante: "Os que com lágrimas semeiam, com júbilo ceifarão". Foi com semelhantes promessas que Paulo encorajou os crentes em Corinto, quando escreveu: "Portanto, meus amados irmãos, sede firmes, inabaláveis, e sempre abundantes na obra do Senhor, sabendo que, no Senhor, o vosso trabalho não é vão" (1 Co 15.58).

17

Aquele que Sonda os Corações

Texto: Salmo 139

Introdução

O Salmo 139 é um cântico de louvor que celebra na presença de Deus e que permeia a tudo, seu conhecimento perfeito, e seu poder infinito. O escritor inspirado descreve com reverência os gloriosos atributos de Deus e termina com uma oração pedindo a destruição dos ímpios e a purificação do seu próprio coração. Com tal beleza de linguagem e nobreza de pensamento, este salmo recebeu de notado teólogo tradicional judaico o título de "Coroa de todos os Salmos".

I - A Onisciência de Deus (Sl 139.1-6)

"Senhor, tu me sondas (examinando todos os meus pensamentos e sentimentos) e me conheces (com total conhecimento do meu estado espiritual). Sabes quando me assento e quando me levanto (tudo quanto faço desde o amanhecer até o fim do dia), de longe penetras os meus pensamentos (enquanto ainda estão sendo formados - muito antes de eu tomar consciência deles). Esquadrinhas (lit:

peneiras) o meu andar e o meu deitar (lit: "meu caminho e meu leito" - as minhas horas de atividade e as minhas horas de descanso), e conheces todos os meus caminhos". Deus não tem necessidade de ir pensando sobre as coisas; em virtude da sua divina perfeição, sabe tudo instantaneamente. É um consolo saber que Ele não nos julga mal, nem acelenta qualquer malentendido a nosso respeito. "Ainda a palavra me não chegou à língua, e tu, Senhor, já a conheces toda". É impossível enganar o Senhor, porque a nossa fala, que tantas pessoas empregam para esconder os seus verdadeiros pensamentos, fica patente diante dEle.

"Tu me cercas por trás e por diante", ou seja: Tu estás sempre perto de mim e tens conhecimento completo de todos os meus movimentos. Você não pode escapar de Deus. Não pode voltar para trás, pois Deus está atrás de você; não pode fazer marchas forçadas para a frente, pois o caminho dEle está lá longe adiante. Você está cercado! E, a fim de que não imagine que sua presença esteja distante, acrescenta-se: "e sobre mim pões a tua mão". Deus está muito perto, e você está nas mãos dEle. Sua mão é para sustentá-lo na prática do bem, e para refreá-lo da prática do mal.

"Tal conhecimento é maravilhoso demais para mim; é sobremodo elevado, não o posso atingir". Ao pensar acerca da onisciência de Deus, sinto que todo o verdadeiro conhecimento está além do meu alcance. Tais conhecimentos estão além da minha compreensão e do meu entendimento.

II - A Onipresença de Deus (Sl 139.7-12)

"Para onde me ausentarei do teu Espírito? Para onde fugirei da tua face?" Compare Atos 17.28. Quando Jonas procurou fugir de Deus, achou-se na presença de Deus de modo bem inesperado, e nunca antes experimentado por ele! (Jr 23.24). Querendo ou não, você está tão perto de

Deus como sua alma está perto do seu corpo. Que coisa horrenda é a prática do pecado, já que tudo é deliberadamente feito às vistas de Deus!

"Se subo aos céus, lá estás, se faço a minha cama no mais profundo abismo, lá está também". Subindo ou descendo até o lugar mais alto ou mais baixo do universo, você achará ali a presença de Deus, que a tudo permeia. Não há ateus no abismo do inferno, pois, ao saberem que ali caíram por não terem crido em Deus, acabam cientes da sua existência, embora seja tarde demais.

"Se tomo as asas da alvorada e me detenho nos confins dos mares: ainda lá me haverá de guiar a tua mão e a tua destra me sustentará". A luz tem uma velocidade inconcebível, mas mesmo que você pudesse viajar tão rapidamente assim, de modo nenhum conseguiria escapar da presença de Deus. Este pensamento pode lhe servir de encorajamento: Aquele que salva até às últimas está disposto a acompanhar você até os confins da terra. "Eis que estou convosco todos os dias até à consumação do século".

"Se eu digo: As trevas, com efeito, me encobrirão, e a luz ao redor de mim se fará noite, até as próprias trevas não te serão escuras: as trevas e a luz são a mesma coisa". O homem bom não desejaria ser escondido pelas trevas; o homem sábio não imagina que tal coisa seja possível. Do ponto de vista de Deus, todos nós habitamos numa luz que a tudo revela a todo instante.

III - A Onipotência de Deus (Sl 139.13-18)

Deus nos conhece porque Ele nos criou. Tal é o pensamento dos versículos seguintes: "Pois tu formaste o meu interior", e, portanto, conheces os meus pensamentos mais íntimos. O *interior* aqui significa os desejos e os *anseios,* literalmente: "Rins". Assim como o "coração" na Bíblia é mais do que o órgão que bombeia sangue, e se refere aos sentimentos e pensamentos, assim também é esta referência aos rins. Esta maneira antiga de falar recebe hoje em dia corroboração científica, mediante a qual a medicina reconhece a profunda interrelação que existe entre a alma e o corpo.

"Tu me teceste no seio de minha mãe". Antes de o salmista conhecer a Deus, Deus conhecia a ele (cf. Jr 1.5). Na parte mais íntima do seu ser, e na sua condição mais secreta (antes de nascer), ainda estava sendo guiado e protegido por Deus. A palavra bíblica "tecer" é apoiada pela medicina moderna que fala em "tecidos" do corpo. "Graças te dou, visto que por modo assombrosamente maravilhoso me formaste". Enormes volumes já têm sido escritos com respeito às maravilhas do mecanismo do corpo humano. O estudo do embrião humano faz com que o homem se encha de reverência e adoração perante a sabedoria do Criador assim revelada: "As tuas obras são admiráveis, e a minha alma o sabe muito bem". Mesmo que você não entenda os mistérios da natureza, pelo menos pode reconhecer que são maravilhosos: "Os meus ossos não te foram encobertos, quando no oculto fui formado, e entretecido como nas profundezas da terra (expressão figurativa que se refere ao útero). Os teus olhos me viram à substância ainda informe, e no teu livro foram escritos todos os meus dias, cada um deles escrito e determinado, quando nem um deles havia ainda". Nosso Criador fez uma planta do nosso corpo, anotando de antemão todas as suas peças. É de acordo da sábia e amorosa providência divina que temos olhos, ouvidos, pés e mãos; tudo foi ordenado pelo decreto de Deus. Os propósitos de Deus dizem respeito ao nosso corpo, nossa alma e nosso espírito; nossa forma, nossa personalidade e nossa vida diária. Tudo isto foi determinado acerca de nós antes de existirmos. Deus nos viu quando nada havia para ser visto, e escreveu acerca de nós quando ainda não havia assunto.

O salmista, embevecido em adoração maravilhosa ao contemplar a sabedoria do Criador, exclama, com enlevo espiritual: "Que preciosos para mim, Senhor, são os teus pensamentos! E como é grande a soma deles! Se os contasse, excedem os grãos de areia: contaria, contaria, sem jamais chegar ao fim". Disse certo grande cientista: "Eu nada mais faço senão pensar os pensamentos de Deus após Ele". O universo com todas as suas leis revela a mente de Deus, e todas as ciências juntas nada mais fizeram do que arranhar a superfície de todos os conhecimentos encontrados no primeiro livro que Deus escreveu - a natureza (ver Salmo 19).

IV - A Oração do Salmista (Sl 139.19-24)

A mudança de pensamento, entre a contemplação das obras de Deus acompanhada pela adoração a Ele, e a esperança que os perversos logo sejam destruídos, parece um pouco abrupta, à primeira vista. Na verdade, porém, um aspecto segue logicamente ao outro. Na medida em que nos apegamos ao bem, também aborrecemos o mal (Sl 97.10). Amando tão intensamente a Deus, o salmista não pode tolerar o convívio daqueles que se rebelam contra Ele. Sua indignação não está manchada com ressentimentos pessoais - é puro zelo pela honra de Deus. Ultrajes lançados contra a causa de Deus causam terrível dor ao salmista. A linguagem é característica da Antiga Aliança; com a vinda de Cristo, aprendemos a odiar intensamente o pecado, e ainda amar o pecador, querendo arrancá-lo das garras de Satanás.

O salmista, na sua condenação dos perversos, não está imaginando que ele pessoalmente possui a justiça própria, a justificação pelas boas obras dele. Sabe perfeitamente bem que muitos pecados secretos podem se esconder debaixo da capa de zelo pelo Senhor. É por isso que ora: "Sonda-me, ó Deus, e conhece o meu coração: prova-me e conhece os meus pensamentos (o “coração” é a fábrica e os “pensamentos” são os produtos); vê se há em mim algum caminho mau, e guia-me pelo caminho eterno” - no caminho verdadeiro e permanente que leva ao Deus verdadeiro e eterno.

V - Ensinamentos Práticos

1. Deus cuida do indivíduo. O tamanho do nosso universo é demais para a nossa mente humana imaginar. Os astrónomos falam que a estrela mais perto da terra se acha a uma distância de talvez uns 40.000.000.000.000 de quilômetros daqui, e que o número total de estrelas no universo é comparável ao número total de grãos de areia em todas as praias do mundo inteiro. Tais cifras são um peso para nossa mente entender, e surge a pergunta: será que um Deus tão grandioso assim pode se preocupar com o indivíduo e os seus problemas pessoais?

O Salmo 139 dá a resposta, afirmando que o mesmo Deus criador do universo está em todos os lugares, sabe todas as coisas, e pode ser achado por nós através da fé e da oração. O conceito da onipresença e onisciência de Deus deve aterrorizar os corações dos malfeitores, mas é fonte de grande consolação para os que crêem nEle, porque tais pessoas sentem a forte convicção de que este Deus pode ajudar e proteger.

O fato da onipresença e da onisciência de Deus é uma garantia da orientação que os crentes recebem. Samuel Chadwick, após uma vida dedicada à oração, asseverou: “O mais humilde seguidor de Jesus pode saber a vontade divina de modo direto e pessoal. É o privilégio de cada pessoa ter a certeza perfeita da vontade de Deus, uma vez que queira a buscar. A atenção que Deus dá a cada detalhe da nossa vida é espantosa. Nada é por demais trivial para a onisciência. Venha diretamente a Deus... Descubra diante dEle todas as suas dúvidas e perguntas, e Ele revelará a você, de modo bem claro, qual é a vontade dEle para você". É um encorajamento para os fiéis saberem que, seja para onde vão indo os caminhos da sua vida, Deus está presente para orientar e abençoar.

2. *O Deus inescapável.* "Para onde me ausentarei do Teu Espírito?" Dois chineses, um cristão e um pagão, estavam conversando. "O seu Deus está em todos os lugares?" - perguntou o pagão. "Certamente que sim" - respondeu o cristão. Pensando que deixaria o cristão confuso e envergonhado, o outro perguntou, em seguida: "Então, Ele está no inferno?" A resposta veio de imediato? "Sim, o seu amor está no céu e a sua ira está no inferno".

Deus está presente em todos os lugares. Ele se faz presente às suas criaturas das seguintes maneiras: na glória, para os hostes celestiais que o adoram (Is 6.1-3). De modo eficaz, na criação natural (Na 1.3). Na sua providência, na vida humana (Sl 68.7,8). Atenciosamente, para aqueles que o buscam (Mt 18.19,20; At 17.27). Judicialmente, na consciência dos ímpios (Gn 3.8; Sl 68.1,2). De forma humana, na pessoa do seu Filho (Cl 2.9). Misticamente, na sua igreja (Ef 2.12-22). Oficialmente, com seus obreiros (Mt 28.19,20).

Certamente, ninguém poderia sonhar em achar qualquer cantinho do universo em que pudesse escapar da lei do Criador. Aqueles que amam a Deus desejam nada mais do que a sua presença. Aqueles que não têm prazer na comunhão com Deus não têm a mínima esperança de achar algum lugar onde podem desafiar a Ele impunemente. Quando alguém peca, o diabo sussurra: "Fuja de Deus", todavia o Espírito Santo sussurra: "Fuja para Deus".

3. *As maravilhas de Deus devem inspirar a adoração humana.* "As tuas obras são admiráveis, e a minha alma o sabe muito bem". As pessoas que vivem uma vida superficial logo perdem interesse na existência. Não acham gra-

ça em nenhuma coisa ou pessoa. O mundo nunca sofrerá falta de coisas maravilhosas - mas às vezes faltam pessoas que sabem admirar-se.

Se sentimos tédio, é sinal que precisamos deixar de lado um pouco as corridas da vida, aquietar o nosso coração diante de Deus, e considerar as suas obras com simplicidade infantil, passando assim a sentir quão perto está o céu e os anjos.

Quando o famoso artista Jean François Millet era um pequeno menino, o seu pai, homem muito devoto, levou-o num passeio, no fim da tarde. Chegaram até o cume de um despenhadeiro, para olhar o sol se pôr no horizonte do mar. O pôr do sol que se estendia diante dos seus olhos era tão glorioso, com tanta beleza junta da terra, do mar e do céu, que o menino exclamou com júbilo: "Pai, nada é tão maravilhoso!" Mas o pai ficou em silêncio, curvando a sua cabeça como se estivesse orando, e disse: "Meu filho, foi Deus que faz isso". O menino ficou profundamente impressionado, e aprendeu a ser um menino piedoso daquele momento em diante. Contava-se dele que, quando adulto, continuava com o hábito de curvar a sua cabeça em oração na hora do pôr do sol. Mais tarde, como pintor formado, deu ao mundo um dos quadros mais queridos, "O Angelus", que mostra dois camponeses franceses curvando suas cabeças reverentemente enquanto os sinos tocavam para anunciar o convite à oração.

Por mais avançado em anos que você esteja, sempre fará bem se conservar o segredo de ficar "como criança", sempre sentindo a maravilha de contemplar as gloriosas obras do Senhor.

4. Deus, nosso ajudador sempre presente. "Quando acordo, ainda estou contigo" (Sl 139.18 - Almeida). Nenhuma hora é melhor para buscar a Deus do que a hora de acordar, quando a mente está livre de outras preocupações e as atividades do dia ainda não começaram. Assim como o clarim conclama os soldados à alvorada, assim também devem ser as nossas devoções matutinas. Como o clarim que toca o "recolher" no fim das atividades, assim devem ser nossas devoções vespertinas.

É uma grande vantagem para a vida de santificação começar o dia com Deus. Quando o mundo já ocupa você de manhã cedo, não deixando tempo para a religião, é quase impossível você ficar em dia com os acontecimentos que se seguirão - e o seu coração se ocupa com pensamentos vãos desde o levantar até o pôr do sol. Se você começar o dia com Deus, perceberá que Ele está do seu lado durante todas as atividades do dia, e todas elas, condimentadas com o amor e o temor de Deus, serão mais deliciosas para nós, tanto as doces como as salgadas.

Embora o salmista se refira ao sono físico, você pode aplicar o texto de forma figurada também. Às vezes você adormece espiritualmente, suas orações ficam sendo uma formalidade, e você perde sua grande vontade de ler a Bíblia com reverência e fervor. E, depois de tudo, passada esta fase, você ainda pode erguer a sua cabeça e dizer: "Quando acordo, ainda estou contigo". Deus é muito gracioso, e você sempre o achará no ponto exato em que você foi separando dEle.

Uma profunda tristeza poderá deixar você insensível espiritualmente, como quem está dormindo. Quando, porém, você acorda daquele sono de angústia, passará a erguer o seu coração a Deus e dirá: "Quando acordo, ainda estou contigo". Deus está bem presente, aplicando bálsamo espiritual ao coração ferido.

Você pode aplicar este texto ao seu despertar na eternidade. Você ainda terá de passar pelo sono da morte. Como crente, você adormece aqui, e, tendo passado pelas angústias de morrer, você de imediato acorda no céu: "Quando acordo, ainda estou contigo". A comunhão com Deus não sofre interrupção alguma - o crente sempre está presente com seu Salvador, ou na terra ou no céu.

5. Ódio santo. "Aborreço-os com ódio consumado: para mim são inimigos de fato". É possível e razoável fazer distinção entre o pecador e os seus pecados. Devemos amar o pecador e orar por ele; o ódio do crente deve ser concentrado contra todas as formas do pecado. Algumas delas são as seguintes:

(1) Adultério; (2) Inveja; (3) Maledicência; (4) Blasfêmia; (5) Jactância; (6) Cobiça; (7) Contendas; (8) Dolo; (9) Despeito; (10) Desprezo pelos justos; (11) Enredar maldades; (12) Desobediência; (13) Bebedeiras; (14) Rivalidades ciumentas; (15) Ciúmes; (16) Maus pensamentos; (17) Acusações falsas; (18) Ferocidade; (19) Estultícia; (20) Fornicação; (21) Ódio; (22) Inimizade contra Deus; (23) Ter a forma da piedade enquanto nega o poder dela; (24) Ser cabeçudo; (25) Heresias; (26) Altivez; (27) Hipocrisia; (28) Idolatria; (29) Ser implacável; (30) Incontinência; (31) Lascívia; (32) Mentiras; (33) Egoísmo; (34) Dedicar mais amor aos prazeres do que a Deus; (35) Malícia; (36) Calúnia; (37) Assassinato; (38) Orgulho; (39) Festanças; (40) Sedições; (41) Contendas; (42) Furto; (43) Traição; (44) Quebra de promessas; (45) Incredulidade; (46) Impureza moral; (47) Profanidade; (48) Injustiça; (49) Ingratidão; (50) Falta de misericórdia; (51) Altercações; (52) Falta de entendimento; (53) Falta de afeição natural; (54) Perversidade; (55) Bruxaria; (56) Ira; (57) Difamação do próximo. Esta pequena lista é tirada dalgumas poucas Epístolas de Paulo. O número 57 reflete "as 57 variedades" de certa marca famosa de latarias. Depois de ler esta lista, que poderia ser bem maior, diga: "Aborreço-os com ódio consumado".

6. A mão de Deus. "E sobre mim põe a tua mão". A mão de Deus é uma mão que nos refreia. Uma das mais difíceis tarefas do amor paterno é corrigir e refrear. A criança começa a dar crise de raiva, e os fortes braços seguram o corpinho até que a crise passa e a criança se aquieta, calma e vencida. Assim também Deus nos segura para nos fazer voltar ao bom senso.

Muitas vezes, é através da consciência que Deus nos guia para longe dos caminhos que nos fariam mal. Quando perguntaram a Daniel Webster qual era o seu pensamento mais nobre, respondeu: "Minha responsabilidade pessoal diante de um Deus pessoal!"

A mão de Deus também nos guia e consola. "E Jesus tocou na mão dela e a febre deixou-a". Quando você chega a alguma crise da vida e se sente tentado a ficar febril com temores que elevam a sua temperatura, o Senhor coloca a sua mão sobre você e você recebe refrigério e calma.

7. Deus sonda o coração. "Sonda-me, ó Deus, e conhece o meu coração". Estas não são as palavras de um desafio orgulhoso; são a confissão de um homem ciente de que Deus descobrirá nele alguma coisa má, no entanto quer que tudo seja trazido à lume para então ser extirpado.

Como você pode obter coragem para orar assim? Precisa ter o ponto de vista certo quanto à natureza de Deus, e assim terá confiança. Se você pensa que Deus é um investigador severo e um juiz austero, é provável que você se encolha diante dEle como certas plantas sensíveis, na tentativa de esconder dEle os seus pecados. Mas se você reconhece que Deus é um Pai gracioso e amoroso, pode abrir a Ele o seu coração com confiança e júbilo, sabendo que Ele o contempla com olhar de misericórdia. Pedro tendo aprendido a não confiar demasiadamente em si mesmo, dependia totalmente do conhecimento e amor de Cristo quando disse: "Senhor, tu sabes todas as cousas, tu sabes que eu te amo" (Jo 21.17).

Já que Deus conhece de antemão o nosso coração, por que orar a Ele? Porque a oração do versículo 23, convidando Deus a sondar o coração, visa ao propósito de nos limpar do pecado, e Deus somente faz isso quando recebe nosso consentimento. Esta oração deve ser proferida tendo em mente a promessa: "E o sangue de Jesus Cristo, seu filho, nos purifica de todo o pecado".

8. Deus testa os pensamentos. "Prova-me e conhece os meus pensamentos". Deus sonda o coração ao esquadrinhar as profundezas da alma; testa os pensamentos assim como a fornalha acesa testa os metais. Nosso íntimo é examinado pelo conhecimento de Deus, e os pensamentos que o íntimo produz são provados pela providência divina. A prosperidade, a adversidade, a crítica, a perseguição, a doença, e outras forças externas revelam qual é o nosso verdadeiro caráter; revelam a verdadeira natureza dos nossos propósitos, desejos, desígnios, intenções, afeições e alegrias. Quando os dedos das circunstâncias tocam as cordas da nossa alma, qual é o tipo de música produzida?

"Prova-me e conhece-me os meus pensamentos". Esta oração exige coragem heróica. Não se registra que Wellington, Napoleão ou outros famosos guerreiros tenham ousado orar assim. Poucos líderes militares têm a coragem de enfrentar os fatos da situação espiritual do seu coração. Homens que já conquistaram grandes exércitos nem sempre têm podido conquistar a si mesmos. Esta oração quer dizer: "Custe o que custar, faze aquilo que derreterá a dureza do meu coração. Coloca-me na fornalha aquecida sete vezes mais, a fim de separar o meu ouro das escórias".

Esta oração não se profere levianamente. Mesmo assim, o homem que assim se coloca nas mãos do divino Refinador é sábio. As chamas da fornalha serão quentes, mas, como no caso dos três jovens hebreus descritos no livro de Daniel, somente aquilo que é combustível será consumido pelas chamas.

9. A nossa própria vontade nos faz mal. "Vê se há em mim algum caminho mau". O caminho mau, em primeiro lugar, está em nosso próprio íntimo; faz parte do nosso próprio egoísmo. O salmista assim ensina que a vida humana é determinada de dentro para fora.

Isto explica por que muitas pessoas, criadas em bom ambiente, e em circunstâncias favoráveis, têm-se desviado do bom caminho. O que fizeram foi seguir o seu próprio caminho. No fim, como o filho pródigo, ficam sabendo de que seu próprio caminho é caminho vão, caminho de dores, caminho de destruição. Sabendo disto, o salmista ora, pedindo que seja libertado do seu próprio-eu. Reconhece que há no seu íntimo alguma partícula venenosa, alguma fibra doentia, alguma substância falsa que, latente nele, aguarda apenas o estímulo das circunstâncias, oportunidades e convívios indesejáveis.

Felizes aqueles que podem cantar com toda a sinceridade este hino: "Tua vontade, faze ó Senhor, eu sou o barro, Tu o feitor".